CW00428322

Douce compagnie

Du même auteur
chez le même éditeur

Douce Compagnie
Le Léopard au soleil

Laura Restrepo

Douce compagnie

Roman traduit de l'espagnol (Colombie)
par Françoise Prébois

Rivages

Couverture : D.R.

Titre original : *Dulce compañía*
Editorial Norma S.A., Santafé de Bogotá, 1995

© 1995, Laura Restrepo
© 1998, Éditions Payot & Rivages
pour la traduction française
© 2000, Éditions Payot & Rivages
pour l'édition de poche
106, boulevard Saint-Germain — 75006 Paris

ISBN : 2-7436-0603-7
ISSN : 1160-0977

… où l'on démontre une fois de plus la naturelle faiblesse des femmes et leur perverse et incorrigible facilité à tomber sous le charme de n'importe quel ange déchu.

José Saramago

I

Orifiel, ange de lumière

Aucun présage n'était venu annoncer les faits. Ou, s'il y en avait eu, je n'avais pas su les interpréter. Maintenant que je reconstitue les événements, je me souviens que plusieurs jours avant que tout ne commence, trois hommes avaient violé une folle dans la zone verte en face de mon immeuble. Et qu'à la même époque le chien de ma voisine avait sauté par la fenêtre du troisième étage, qu'il était tombé dans la rue et s'en était sorti indemne, et que la lépreuse qui vendait des billets de loterie au coin de la 92ᵉ et de la 15ᵉ Rue avait mis au monde un enfant sain et beau. C'étaient évidemment des signes, ceux-là et bien d'autres, mais le problème est que cette ville disgraciée envoie tant de préavis de fin du monde qu'on n'y prête plus attention. Et pourtant ici, dans le quartier résidentiel où je vis, personne ne peut imaginer le nombre de présages qui voient quotidiennement le jour dans les taudis.

Pour dire la vérité, cette histoire aux échos surnaturels, qui devait d'une si curieuse manière transformer ma vie, a débuté à huit heures du matin, un lundi très terrestre et ordinaire, au moment où je pénétrai de très mauvaise humeur dans la salle de rédaction de la revue *Somos* où je travaillais comme reporter. J'étais certaine que mon chef allait me confier une mission dont je ne voulais pas entendre parler, ce qui m'avait gâché tout le week-end. Je savais qu'on voulait m'envoyer couvrir le concours national de beauté qui allait commencer à Carthagène. J'étais plus jeune qu'aujourd'hui, je débordais d'énergie et je m'efforçais d'écrire des choses qui en vaillent la peine, mais le destin, qui m'était contraire, m'obligeait à gagner ma vie dans l'un de ces innombrables magazines consacrés aux frivolités.

De toutes mes contraintes à *Somos*, le concours de beauté était, de loin, la pire. C'était une tâche ingrate que d'interviewer trente filles avec des tailles de guêpe et une cervelle à l'avenant. Je reconnais que leur extrême jeunesse et leur minceur blessaient ma vanité, mais le plus pénible était d'avoir à donner de l'importance au sourire Pepsodent de miss Boyaca, au célibat controversé de miss Tolima, à l'intérêt que portait miss Arauca aux enfants pauvres. Par-dessus le marché, les reines tenaient à donner d'elles une image sympathique et simple, elles tutoyaient tout le monde, elles distribuaient des baisers et se livraient à une débauche de déhanchements et d'amabilités. Elles traitaient les journalistes avec familiarité et nous qui venions de *Somos*, elles nous appelaient «Somitos» : Somitos, pendant que tu m'interviewes, tiens-moi la glace pour que je me maquille, Somitos, écris que mon héroïne préférée est mère Teresa de Calcutta, et moi, debout devant ces créatures de rêve d'un mètre quatre-vingts, notant sur un carnet ce chapelet de fadaises.

Non. Cette année je n'irais pas au concours, dussé-je perdre ma place. Je préférais encore avaler un pot de vers de terre plutôt que de m'entendre appeler «Somitos», ou d'avoir la faveur de rapporter à miss Cundinamarca les boucles d'oreilles qu'elle avait oubliées dans la salle à manger. Sur ce, je suis entrée à la rédaction en pestant, car je savais parfaitement qu'il me serait impossible de trouver un autre emploi stable et que, par conséquent, il était impensable de démissionner.

Au fond, tournant le dos, j'ai aperçu la veste en velours vert bouteille que je connaissais bien, et je me suis dit, maintenant cette veste va se retourner, dedans il y aura mon chef avec son cou de dindon, et sans me saluer, il va piailler que je dois faire mes valises pour Carthagène et c'est reparti pour Somitos et ses lombrics au sel et au poivre.

La veste s'est retournée, le dindon m'a regardée, mais contre tout pronostic il s'est abaissé à me dire bonjour et ne m'a pas parlé de Cartagena. En revanche il m'a demandé autre chose qui ne me plaisait pas davantage :

« Allez au quartier Galilée. Un ange y est apparu.

— Quel ange ?

— Celui que vous voulez. J'ai besoin d'un papier sur les anges. »

La Colombie est le pays au monde qui fabrique le plus de miracles au mètre carré. Les vierges descendent du ciel, les Christ versent des larmes, des médecins invisibles opèrent leurs fidèles de l'appendicite et des voyants prédisent les numéros gagnants à la loterie. C'est la norme : nous avons une ligne directe avec l'au-delà, et le pays ne pourrait vivre sans de fortes doses quotidiennes de superstitions. Nous avons depuis toujours le monopole absolu de l'irrationnel et du paranormal et cependant, si mon rédacteur en chef voulait un article sur une apparition d'ange justement aujourd'hui — et pas le mois dernier ni le mois prochain —, c'était uniquement parce que ce sujet venait de passer de mode aux États-Unis.

Un mois auparavant, la fin du millénaire et la vogue New Age avaient déclenché chez les Nord-Américains une véritable frénésie angélique. Cent personnes avaient témoigné qu'elles avaient eu, un jour, un certain contact avec un certain ange. Il y avait même eu de prestigieux scientifiques pour attester de leur présence et jusqu'à la *first lady* qui, emportée par l'enthousiasme, avait accroché à son revers une broche en forme d'ailes de chérubin. Comme toujours, les gringos s'étaient gorgés du thème jusqu'à saturation. La *first lady* avait ôté ses ailes et était revenue à des bijoux plus classiques, les scientifiques avaient atterri, les tee-shirts imprimés d'angelots potelés de Raphaël s'étaient revendus à moitié prix. Ce qui voulait dire que pour nous, les Colombiens, notre tour était arrivé. Nous sommes ainsi, nous n'adoptons avec retard que ce qui transite par Miami. C'est étonnant de voir comme les journalistes que nous sommes passent leur temps à réchauffer des sujets déjà brûlés là-bas.

Malgré tout, je n'ai pas protesté.

«Pourquoi Galilée ? ai-je demandé.

— Une tante de mon épouse fait de temps en temps laver son linge par une femme qui habite là-bas. Cette femme lui a parlé de l'ange. Donc allez-y et dégottez l'histoire, quelle qu'elle soit, quitte à l'inventer. Et prenez des photos, beaucoup de photos. Cette semaine nous mettons, nous aussi, le sujet en couverture.

— Vous pouvez me donner un nom, une adresse ? Une référence un peu moins vague ?

— Aucune. Débrouillez-vous, que voulez-vous que je vous dise ? Quand vous trouverez un type avec des ailes, ça sera l'ange. »

Galilée. Ce devait être un de ces invraisemblables quartiers du sud de la ville, surpeuplé, misérable, dévasté par des hordes juvéniles. Mais il s'appelait Galilée, et depuis toute petite les noms bibliques me faisaient battre le cœur. Jusqu'à mes douze ou treize ans, chaque soir en me couchant, mon grand-père me lisait un passage de l'Ancien Testament ou des Évangiles. Je l'écoutais, hypnotisée, sans y comprendre grand-chose, mais en me laissant bercer par le son âpre de ses « r » de vieux Belge qui n'avait jamais pu se faire à l'espagnol.

Mon grand-père s'endormait au milieu de sa lecture et moi, comme une somnambule, je répétais à voix basse des fragments de son idiome tout-puissant : Samarie, Galilée, Jacob, Rachel, noces de Cana, lac de Tibériade, Marie de Magdala, Esaü, Gethsémani, kyrielle de noms sonores chargés de siècles et de mystères qui répandaient leurs bienfaits sur l'obscurité de ma chambre. Il y en avait aussi d'épouvantables, comme les mots *mane tesel fares* dont je ne sais toujours pas ce qu'ils veulent dire, mais qui étaient présage de destruction, ou encore ceux-ci, très durs, *noli me tangere,* dits par Jésus ressuscité à Marie-Madeleine.

Les noms bibliques, même aujourd'hui, continuent d'être pour moi des talismans. Bien que je tienne à déclarer que, malgré les lectures de mon grand-père et en dépit du fait que j'ai reçu le baptême et une éducation chrétienne, je n'ai jamais en réalité été pratiquante et sans doute même pas croyante. Et je ne le suis toujours pas : je le précise tout de suite pour que personne ne se fasse des idées — ou ne s'enthousiasme — à la pensée que cette histoire est celle d'une conversion.

J'avoue que lorsque mon chef m'a parlé de « Galilée », le nom tout d'abord ne m'a rien évoqué. Il aurait dû agir sur moi comme une prémonition, un signal d'alarme. Mais il n'en a rien été, sans doute parce que la voix désagréable qui l'avait prononcé avait dû lui enlever de sa force. J'ai seulement pensé qu'il était curieux qu'on refilât toujours des noms bibliques aux quartiers les plus déshérités — Bethléem, Siloé, Nazareth — et je ne me suis pas attardée davantage sur le sujet.

Vingt minutes plus tard j'étais dans un taxi et je lui demandais de me conduire là-bas. Le chauffeur ignorait jusqu'à l'existence de l'endroit et il dut se renseigner par radiotéléphone.

Je ne savais rien des anges, à part une prière que je récitais enfant : « Mon ange gardien, douce compagnie, ne m'abandonne pas, ni la nuit ni le jour », et mon unique contact avec eux avait eu lieu à l'école primaire pendant la procession du 13 mai, fête de la Vierge ; il n'avait pas été excellent. Il s'était trouvé que ma meilleure amie, Mari Cris Cortés, avait été choisie, parce que bonne élève, pour faire partie de la Légion céleste, en conséquence de quoi elle était déguisée en ange dont les ailes, très réalistes, avaient été fabriquées par sa maman avec des plumes. En la voyant je m'étais mise à rire et je lui avais dit qu'elle ne ressemblait pas à un ange mais à une poule, ce qui était vrai. Selon la tradition de ce jour, chaque petite fille devait écrire en secret sur un petit papier ce qu'elle souhaitait le plus profondément demander à l'Immaculée, et ces petits papiers, qu'on ne devait faire lire à personne sous peine de leur faire perdre leur effet, étaient ensuite brûlés dans des boîtes de conserve pour que la fumée parvienne au ciel. Or ce jour-là, Mari Cris, vexée à cause de la poule, m'avait fauché mon petit papier et l'avait lu à voix haute, et c'est ainsi que toute l'école apprit que mon vœu était de voir un jour, je vous en supplie, le crâne rasé de la mère supérieure. Pour je ne sais quelle raison cela avait provoqué chez la personne en question une vertueuse indignation qui, à mon avis, n'était pas proportionnelle à l'offense. En guise de châtiment elle m'avait entraînée dans ses appartements privés, ce qui était en soi mauvais signe ; et une fois en tête à tête, elle avait ôté son voile, m'avait montré son crâne qui n'était pas chauve mais couvert de cheveux blancs très courts, elle m'avait obligée à le toucher et à lui demander pardon. Je me souviens encore aujourd'hui de la scène avec une véritable terreur, peut-être même comme de la plus terrifiante de ma vie, bien qu'en y regardant de plus près, il n'y avait pas de quoi fouetter un chat. Tout au contraire d'ailleurs, pendant quelque temps l'affaire me donna du prestige, car j'étais devenue l'unique petite fille du collège qui avait non seulement vu, mais encore touché le crâne tondu d'une nonne, et pas de n'importe quelle nonne : celui de la supérieure. Qui, en réalité, comme je l'ai déjà dit, n'était pas tondu, mais je mentis. Pour ne pas détruire le mythe, je jurai qu'elle était chauve comme une boule de billard, et la vérité je l'ai gardée pour moi jusqu'à ce jour, où je la révèle.

Pour en revenir à *Somos* et à l'article : je trouvais que les raisons qui motivaient le choix du thème des anges étaient déplorables. Mais malgré tout mon humeur s'était améliorée. En fin de compte tout valait mieux que d'avoir à demander à miss Antioquia ce qu'elle pensait des rapports extraconjugaux.

Nous nous sommes mêlés au flot pestilentiel et lent des bus, des voitures et des mendiants et nous avons mis une heure et demie pour parcourir, du nord au sud, les rues irrégulières de cette ville en loques. Puis nous avons grimpé à travers les quartiers populaires de la montagne jusqu'à ce que les rues s'effacent. Il avait commencé à pleuvoir, et le taxi m'a dit : « Je ne peux pas aller plus loin. Continuez à pied.

— Très bien.

— Vous êtes sûre que je vous laisse ? Vous allez vous mouiller.

— Je dois marcher jusqu'où ? »

Il m'a répondu avec un geste vague de la main qui sem-

blait indiquer le sommet invisible de la montagne : « Jusqu'en haut. »

Je me suis dit, pas étonnant qu'on y trouve des anges.
Là-haut, on doit déjà toucher le ciel.

J'ai escaladé la pente pendant un bon bout de temps.
Je suis arrivée juste au moment où je pensais ne pas pouvoir faire un pas de plus, couverte de boue et les jambes
tremblantes de froid sous mon blue-jean mouillé qui col-
lait à la peau. Ledit Galilée était un quartier qui donnait
le vertige. Au-dessus, la paroi rocheuse se dressait
comme un mur, de chaque côté s'épanouissait un magma
hirsute de plantes sauvages, et en dessous l'abîme était
rempli d'un air spongieux et épais qui empêchait d'en
voir le fond.

Les maisons de Galilée s'entassaient les unes sur les
autres, accrochées par les ongles aux flancs érodés et
savonneux de la montagne. L'eau de pluie dévalait dans
les ruelles en pente et formait des ruisseaux. Le cœur du
quartier était un terrain vague inondé, flanqué de deux
portiques qui indiquaient que lorsqu'il ne pleuvait pas, on
y jouait au football. Je me suis dit que chaque fois que le
ballon s'échappait, il devait rebondir jusqu'à la place
Bolívar.

Dans la rue, il n'y avait pas un chat. Aucune voix ne se
faisait entendre derrière les portes closes. La seule et
imposante présence était la pluie, une infâme pluie glacée qui me tombait dessus avec son ronflement indiffé-
rent et uniforme de moteur. Où donc étaient passés les
gens ? Partis sans doute vers des lieux moins affreux. Et
l'ange ? Même plus la peine d'en parler. S'il était descendu sur la terre pour tomber dans un trou pareil, il avait
dû repartir immédiatement.

J'ai ressenti une horrible envie d'aller aux toilettes,
d'arriver chez moi, de me mettre sous une bonne douche

16

chaude, de me faire une tasse de thé, d'appeler le magazine et de démissionner. Pour tout dire, j'étais dégoûtée.

Mais comment rentrer, dans quel taxi ou bus inimaginables, puisque j'avais franchi les frontières du monde et que je me retrouvais perchée sur ce terrain pelé de l'au-delà...

J'ai marché jusqu'à l'église, méticuleusement et récemment repeinte en jaune banane, avec des frises, des portes et des détails mis en valeur par un marron brillant, énorme et couronnée par deux tours pointues, comme un gâteau gothique fraîchement démoulé. Comme elle aussi était fermée, je suis allée sonner à côté, au presbytère. Rien. J'ai sonné de nouveau, plus longuement, j'ai tambouriné avec mes poings, et j'ai attendu jusqu'à ce qu'une voix de vieillard me crie de l'autre côté de la porte : « Y a personne ! »

On avait dû me confondre avec un mendiant. J'ai recommencé à taper, avec plus de vigueur, et j'ai entendu la même voix venue de l'intérieur : « Allez-vous-en. Y a personne.

— Je veux seulement un renseignement.

— Des renseignements, y en a pas non plus.

— Mais enfin, s'il vous plaît ! » J'étais indignée et j'aurais volontiers enfoncé la porte à coups de pied si celle-ci ne s'était ouverte, donnant un corps à la voix, un prêtre avec des lunettes, pas si vieux que ça, avec des dents jaunies de nicotine, une barbe de trois ou quatre jours et une assiette de soupe à la main. Sa tête n'était pas ronde mais taillée en lignes droites, comme un polygone, et je me suis dit que de cette tête devaient sortir des idées obtuses.

De l'intérieur de la maison s'exhalait l'odeur de tanière du fumeur endurci.

17

«Mon père, je suis venue parce qu'on m'a parlé d'un ange», ai-je dit en essayant de m'abriter sous l'auvent.

Il a marmotté avec ennui qu'il n'avait jamais entendu parler d'un ange.

Dans sa soupe flottaient des petits morceaux de carottes, et au travers de ses lunettes l'impatience de ses yeux m'a fait comprendre que son déjeuner refroidissait. J'ai insisté.

«Pourtant on m'a dit qu'un ange...

— Quoi? Quoi? Un ange! Quel ange? Je vous dis qu'il n'y a pas d'ange!» Le vieux m'a passé un savon qu'il a conclu en disant que si vraiment je voulais louer le Seigneur et entendre sa véritable parole, je revienne pour la messe de cinq heures.

Je me suis dit, ce vilain oiseau est fou, mais comme je n'en pouvais plus, j'ai demandé : «Pardonnez-moi, mon père, est-ce que je pourrais utiliser vos toilettes?»

Il a réfléchi un moment, comme s'il cherchait un prétexte pour refuser, mais il s'est finalement effacé pour me laisser entrer.

«Dans la galerie du patio, au fond», a-t-il ronchonné.

Je suis entrée. Le logement se résumait à une pièce dépouillée, avec une porte qui donnait sur la rue et l'autre sur le patio. Il n'y avait personne d'autre. Pour être plus précis : il semblait que personne d'autre ne soit entré ici depuis des siècles. Seules quelques fleurs en plastique dans un vase, presque entièrement recouvertes de poussière, auraient pu laisser supposer la trace déjà lointaine d'une main féminine.

«Vous êtes trempée, ma petite, ôtez votre manteau.

— Ne vous en faites pas, mon père. Ça va.

— Non, ça ne va pas. Vous mouillez mon plancher.»

Je me suis excusée, j'ai essayé d'essuyer la flaque avec

18

un Kleenex trouvé dans ma poche et j'ai accroché ma gabardine au clou qu'il m'a indiqué sur le mur.

J'ai traversé un patio intérieur plein de courants d'air, et tandis que je parcourais une galerie avec des pots de fleurs qui ne contenaient pas de fleurs mais de la terre archisèche et des mégots, je me suis dit que la barbe hirsute de ce curé devait râper comme du papier de verre. Pendant un instant j'ai essayé d'imaginer comment je me défendrais s'il faisait mine de me toucher.

Jamais aucun inconnu ne m'avait physiquement agressée et pourtant une méfiance paranoïaque tournait parfois dans ma tête. L'irrationalité de la chose me mettait en rage : que de telles sottises me viennent à l'esprit, quand il était évident que le pauvre n'avait qu'un seul désir, qu'on le laissât manger sa soupe en paix.

À part un tas de chaussettes qui trempaient dans la baignoire, la salle de bains était assez propre. J'ai pourtant évité de m'asseoir sur le siège, suivant l'habitude qu'on m'avait inculquée enfant, car on nous entraîne, nous les femmes, à l'acrobatie de faire pipi debout lorsque nous ne sommes pas chez nous, sans toucher les cabinets ni mouiller notre culotte. Comme la porte n'avait pas de verrou, je l'ai coincée avec mon bras tendu, pour le cas où quelqu'un (mais qui, mon Dieu ?) essaierait de l'ouvrir. Voilà pourquoi je dis que la psychologie féminine est parfois tordue : on a forgé chez nous la conviction que toutes les vilaines choses du monde se tiennent à l'affût, prêtes à tout pour se faufiler entre nos jambes.

Il n'y avait pas de miroir dans la salle de bains, ce qui m'a ennuyée, car je trouve réconfortant d'inspecter ma propre image dans les miroirs pour voir si tout est en ordre. Il y avait une étagère dont l'unique objet, une brosse à dents aux poils jaunes et moisis par l'usage, m'a fait pénétrer sans le vouloir dans l'intimité désolée de l'homme revêche qui vivait ici.

Lorsque je suis revenue dans la pièce, je l'ai trouvé assis sur le lit, absorbant sa soupe avec dévotion, la figure si collée à l'assiette que la vapeur embuait ses lunettes.

J'ai essayé une dernière fois d'aborder le sujet : « Alors, il n'y a pas d'ange.

— L'ange, l'ange, laissez tomber l'ange, et d'ailleurs qui vous dit que ce n'est pas un envoyé d'en bas, hein ? Et si c'est bien celui que je préfère ne pas nommer, il ne vous est pas venu à l'idée qu'il pouvait utiliser cette ruse pour entraîner la foule ignorante à sa perdition ?

— Vous croyez que cet ange est en réalité un démon ?

— Je vous l'ai déjà dit, venez à la messe de cinq heures. Le jour est venu. Je vais démasquer publiquement les hérétiques de ce quartier qui sont du même acabit que ceux d'avant, les pseudo-Denys l'Aréopagite, les Aldebert l'Ermite (la véhémence faisait trembler le curé) et ceux de Galilée, encore bien plus pécheurs que Simon le Magicien qui affirmait faussement que le monde est fait de la même substance que les anges. Qu'ils tremblent devant l'anathème, ces apostats d'aujourd'hui ! Qu'ils ne jouent pas avec le feu, hein ? Parce qu'ils se brûleront ! Mais ne me faites pas dire un mot de plus. Pas un mot, je ne veux pas anticiper sur les événements. » Ici il fit une pause pour reprendre son souffle et s'essuyer la bouche avec un mouchoir. « Venez à la messe de cinq heures si vous voulez comprendre.

— Très bien, mon père, j'y serai. Au revoir, et merci pour les toilettes.

— Ah non ! Maintenant que vous êtes entrée, vous ne partirez pas sans prendre un peu de soupe. Car on sait que celui qui mange seul meurt seul, et je ne veux pas mourir seul. C'est déjà bien suffisant d'avoir vécu sans compagnie.

— Non mon père, ne vous dérangez pas », ai-je essayé de le dissuader en pensant qu'il était cruel de le priver d'une part de son unique plaisir, et aussi d'avoir à goûter ce naufrage de carottes sur bouillon gris. Mais il n'y a rien eu à faire : il s'est approché de la marmite et m'a servi une assiette remplie jusqu'au bord, puis il a sorti de la poche de sa soutane un paquet écrasé de Lucky Strike et il en a allumé une à la flamme du fourneau.

« Pourquoi vivez-vous si seul, mon père ? Vos paroissiens ne vous tiennent pas compagnie ?

— Ils ne m'aiment pas. Peut-être parce que j'étais déjà vieux et amer quand je suis arrivé sur ces pentes, et que je n'ai pas eu la volonté de me faire aimer. Mais ne me faites pas parler après le déjeuner, c'est mauvais pour la digestion et ça empêche d'avoir les idées claires. »

J'ai donc mangé en silence pendant qu'il fumait, si on peut appeler silence la collection de raclements et de claquements de langue que le vieux produisait en savourant la fumée de sa clope. La soupe était moins mauvaise que son aspect, mon estomac lui a fait bon accueil et j'ai remercié la rude générosité de mon amphitryon. Il s'était endormi, assis sur le lit, le mégot allumé entre ses doigts jaunes, et le polygone de sa tête renversée formait avec son cou un angle impossible.

Je lui ai ôté sa Lucky, je l'ai éteinte dans un des pots de fleurs, j'ai lavé son assiette et la mienne dans la cuvette de la salle de bains, j'ai laissé un mot qui disait « Dieu vous le rende, à cinq heures je serai à votre messe », et je suis repartie dans la pluie et la tourmente. Mais peu m'importait à présent, j'étais sûre d'avoir une bonne histoire à raconter. Je ne savais pas encore laquelle, mais j'avais hâte de vérifier quel genre de créature était l'ange de Galilée. De plus, à cette messe de cinq heures, il pouvait y avoir des excommunications, peut-être même des menaces de mort sur le bûcher. Pour rien au monde je n'aurais manqué ça.

Je me suis dirigée vers une épicerie-buvette à l'enseigne de *L'Étoile* et je suis entrée. J'ai commandé un café au lait, un petit pain au son et de la pâte de goyave.

L'Étoile entassait sur trente mètres carrés tous les objets indispensables à la survie du quartier. Il y avait des ampoules électriques, du tissu au mètre, du beurre et des jouets en plastique, du riz, du saucisson et du vernis à ongles, des couteaux, de l'aspirine, des pantoufles et de la vaisselle, le tout prodigieusement organisé et disposé sur des étagères de bois qui montaient jusqu'au plafond. Il y avait également quelques tables et des bancs et l'on servait de la bière et des repas, ainsi que le signalait un écriteau rédigé au crayon.

« Vous avez entendu parler de l'ange qui est apparu par ici ? »

J'ai posé cette question aux deux petits vieux qui se tenaient derrière le comptoir. Ils se sont regardés. Ils devaient être mari et femme, mais ils se ressemblaient tant qu'on aurait dit le frère et la sœur. À moins qu'ils n'aient été frère et sœur. Ils chassaient les mouches avec des gestes solennels, comme des évêques distribuant des bénédictions.

« Pardonnez mon indiscrétion, a dit le vieux en inclinant respectueusement la tête comme si pour de bon il demandait pardon. C'est cela que vous avez demandé au père Benito ? »

Je me suis aperçue que depuis *L'Étoile* on pouvait voir la porte du presbytère. Ils m'avaient espionnée, évidemment, mais c'était compréhensible, les étrangers devaient être plutôt rares à Galilée.

« Le curé s'appelle Benito ? ai-je demandé.

— Le curé s'appelle le père Benito, m'ont-ils corrigée aimablement.

— Eh bien oui, monsieur, je le lui ai demandé.

— Et peut-on savoir ce que vous a répondu le père Benito ? » Le vieil homme avait un accent très distingué.

« Qu'il n'y en avait pas. »

Ils ont échangé à nouveau des regards entendus, et la vieille m'a dit : « Ne l'écoutez pas. C'est un curé de droite. »

Je me suis dit que cette ancêtre au jargon de maoïste devait en savoir long, et je m'apprêtais à l'interroger quand elle m'a devancée : « Vous êtes journaliste, mademoiselle ?

— Oui, madame.

— Ça se voit à l'appareil photo. Peut-on savoir de quel média ?

— Du magazine *Somos*. Vous me donnez un peu de sucre ?

— Mes félicitations, dit le vieux en me tendant le sucrier. C'est un magazine très célèbre. Je présume que mademoiselle a sa carte ?

— Ma carte de journaliste ? » La question m'avait surprise. « Oui, bien sûr.

— Vous pourriez me la prêter un instant, si cela ne vous dérange pas ? »

C'était à n'y pas croire. Dans ce pays militarisé, toutes les cinq minutes quelqu'un, la police, l'armée, la patrouille, vient vous demander vos papiers, mais jamais encore il ne m'était arrivé d'avoir à les produire devant un tenancier de bazar. J'ai cependant calculé que rien de mal ne pouvait m'arriver venant de quelqu'un qui faisait tant de courbettes, et j'ai sorti la carte de mon porte-feuille pour la lui remettre. C'était bien entendu un acte irrationnel : le premier d'une longue série.

Les deux vieux inquisiteurs ont disparu derrière le comptoir et je les ai entendus chuchoter. Puis l'homme s'est approché de la porte de la rue et à grand renfort de cris et de sifflets il a appelé Orlando, lequel est arrivé sur-le-champ à *LÉtoile* et s'est révélé être un enfant d'environ dix ans, peut-être plus à en juger par son regard de professionnel de la vie, peut-être moins à en juger par son aspect chétif et sa taille minuscule. Ledit Orlando avait des yeux de veau, tout en prunelles noires et cils raides, et il lui manquait une dent, sans qu'on puisse savoir si elle n'était pas encore sortie ou si elle était déjà tombée.

Le vieux lui a remis ma carte, la vieille lui a donné un morceau de carton pour se protéger de la pluie, et Orlando est reparti. Je l'ai regardé s'éloigner avec ma seule pièce d'identité, se faufiler dans les rues avec ma carte en poche, de cette allure pressée et de ce pas menu inimitables qu'adoptent les habitants de Bogotá quand il pleut. Le vieux a dû remarquer mon air soucieux car il m'a servi un autre café et m'a dit : « Ne vous tourmentez pas. C'est un enfant très responsable. »

Je n'y comprenais rien, mais il était réconfortant de savoir qu'Orlando était responsable. Pendant que j'attendais son retour, une femme en bottes de caoutchouc est entrée dans la boutique et a demandé deux aspirines, quatre clous et une douzaine d'allumettes. Les vieux ont ouvert les bocaux correspondants, compté chaque unité, fait trois paquets séparés enveloppés dans du papier kraft, et ils ont rangé les bocaux à leur place, sur les étagères. La dame a payé avec de la ferraille et s'en est allée.

Orlando a fait honneur à sa réputation d'enfant responsable et au bout d'un quart d'heure il est revenu avec ma carte, il me l'a rendue, et, planté au milieu du magasin, il a annoncé d'une voix de héraut : « Doña Crucifix dit que tout est en ordre, et que la *Monita* peut monter ! »

La Monita, la « blondinette », c'était moi. Ça ne loupe jamais, les pauvres m'appellent toujours comme ça. Jamais ils ne demandent mon prénom, ils s'en fichent, et mon nom, encore plus. Pour eux, d'entrée, j'ai toujours été Monita, point. C'est à cause de mes cheveux, cette masse de cheveux blonds que depuis l'enfance je porte longs, ce qui chez les riches ne se remarque pratiquement pas, mais qui fait sensation chez les pauvres. Cette chevelure, exotique pour ces terres — jointe à une taille de vingt centimètres au-dessus de la moyenne —, est l'héritage de mon aïeul belge. J'ajoute que pour travailler j'en fais une tresse, plus commode et moins voyante que les cheveux dénoués. C'est ainsi que je les portais lors de ce premier séjour à Galilée. Mais ça n'a servi à rien, ça ne sert jamais : l'enfant m'avait appelée Monita et Monita je suis restée, jusqu'au bout.

Orlando avait amené avec lui une ribambelle de gosses de toutes tailles, tous trempés.

« Vous pouvez y aller, ils vous emmènent, a dit le vieux en me les montrant. Pas vrai, ma fille ?

— Mais oui, a confirmé la vieille. N'ayez plus d'inquiétude. Ils vous emmènent.

— Ah bon », ai-je dit sans demander où, car j'avais deviné que la chose comportait sa bureaucratie et son mystère. En voyant que les enfants portaient aussi des bottes de caoutchouc Croydon, j'ai compris que c'était une mode qui s'imposait dans les bourbiers de Galilée et j'ai demandé aux vieux s'ils ne pourraient pas m'en vendre une paire.

« Mademoiselle fait quelle pointure ?

— Du quarante », ai-je répondu, sachant d'avance qu'ils n'auraient pas cette taille. En effet, la plus grande paire était un trente-huit et j'ai dû me résigner à garder mes tennis. J'ai enfilé ma gabardine, j'ai remercié la vieille dame pour le morceau de carton protecteur qu'elle m'a offert et j'ai suivi mes cicérones.

L'averse avait redoublé, le vent soufflait de manière hystérique, et le sol n'était plus que gadoue. Je me suis dit que si la pluie continuait ainsi, tout Galilée allait glisser jusqu'à la place Bolívar, et avant de me décider à mettre un pied dans ce déluge, j'ai évoqué avec nostalgie le toit sous lequel je pourrais être en train de te demander, ô miss Cauca, si le masque au concombre est ce qui réussit le mieux à ta peau !

Tout en trottinant sous l'averse en compagnie de ma procession d'enfants dégoulinants, j'ai demandé à Orlando où nous allions. Il m'a répondu par un haussement d'épaules et de sourcils, comme si c'était évident : « Ben, voir l'ange, non ?

— C'est à cette heure-là qu'il apparaît ?

— Il est toujours là.

— Ah bon ? Alors c'est une statue ou une peinture ? »

Il m'a regardée avec des yeux ronds qui ne pouvaient croire à tant de stupidité.

« C'est pas une peinture, c'est un A-N-G-E, a-t-il dit en épelant chaque lettre comme si j'avais des difficultés avec l'espagnol. Un ange en chair et en os. »

Je n'en attendais pas tant. J'avais imaginé qu'avec un peu de chance je pourrais interviewer un des témoins de ses miracles, ou quelque fanatique de son culte ou, dans le meilleur des cas, un malade qu'il aurait guéri, que je pourrais photographier la pierre où il s'était posé, la niche d'où il s'envolait, la garrigue où on l'avait vu pour la première fois, et toutes ces cochonneries habituelles qui satisfont les exigences du rédacteur en chef parce qu'elles lui permettent de monter, en deux heures, une histoire tirée par les cheveux mais qui justifie un titre de couverture du genre : « En Colombie aussi, il y a des anges ! » et un sous-titre : « Cas véridiques d'apparitions ».

Mais non. Ce qu'Orlando me promettait, c'était la vision d'un ange, en vrai.

« Et où habite-t-il, cet ange ? me suis-je informée.

— Chez sa maman.

— Il a une maman ?

— Comme tout le monde.

— Évidemment. Et sa maman est cette doña Crucifix qui m'a donné la permission de venir.

— Non. Sa maman s'appelle doña Ara. »

Je supposais que la question suivante exaspérerait aussi mon guide, mais je l'ai posée quand même : « Tu peux me dire de quel ange il s'agit ?

— C'est le problème. On ne sait pas encore.

— Comment ça ?

— On ne sait pas. Il n'a pas voulu révéler son nom, a dit Orlando, et un autre enfant a confirmé :

— C'est vrai. Il n'a pas voulu. »

Nous sommes arrivés au pied de la dernière rue. Elle montait, longue et verticale, serrée entre deux rangées de maisons basses qui se soutenaient les unes les autres comme si c'était un château de cartes. Il n'y avait personne, rien que l'eau qui dévalait en cascade. En cela c'était une rue semblable aux autres. Mais de meilleure apparence parce que la végétation, d'un vert intense, mangeait les toits avec ses branches et ses mousses et qu'elle était décorée d'un zigzag bariolé de festons en plastique, résidus non biodégradables de quelque fête votive.

Orlando m'a désigné la rue : « C'est la ville basse. C'est là que vit l'ange, dans la maison rose.

— C'est quoi la ville basse ?

— Cette rue-là.

— Et pourquoi est-ce qu'on l'appelle comme ça, puisqu'elle est plus haute que les autres ?

— Parce que c'est là qu'habitent les plus pauvres.

— D'accord. Montons. »

Je me suis penchée pour rouler mon blue-jean, résignée à m'enfoncer jusqu'aux mollets dans cette eau couleur chocolat qui charriait des immondices.

« Non, attendez sous cet auvent », m'a dit une fillette en blouson rouge qui faisait partie du cortège, et comme par enchantement, en un clin d'œil, elle a disparu avec tous les autres enfants, y compris Orlando. Je me suis arrêtée là où on m'avait dit de le faire, le dos collé au mur pour éviter les torrents qui dégringolaient du toit. Le temps commença à se faire long.

« Orlando ! Orlaaandoo ! » Mes cris désespérés s'éteignaient aussitôt nés, comme des bougies au vent.

Dans la ruelle, il n'y avait que les minutes qui passaient et j'étais toujours là, vissée à mon coin, dans la terreur croissante que les enfants ne fussent rentrés chez eux attendre que la pluie cesse, buvant des tasses de lait chaud et m'oubliant complètement. Devant cette situation sans issue la panique me prenait déjà, lorsque je les ai vus revenir par groupe de deux ou trois, portant des planches.

Ils se sont mis à l'œuvre et, suivant les indications d'Orlando qui dirigeait la manœuvre, ils ont placé les planches transversalement à la ruelle, de bas en haut, posant les extrémités sur des pierres et confectionnant une sorte d'escalier de cinq ou six marches sous lesquelles s'écoulait l'eau. La fillette au blouson rouge m'a prise par la main et m'a fait gravir un par un les degrés. Les autres patientaient et chaque fois que mon pied quittait une planche, ils l'enlevaient immédiatement pour la replacer un peu plus haut, de sorte qu'à mesure que je montais, la volée d'escalier se prolongeait devant moi.

Je me suis sentie aussi bénie que Jacob s'élevant au ciel sur l'échelle des anges. Ces gosses souriants qui s'acharnaient sous l'averse pour que je puisse avancer commodément éveillaient en moi un pressentiment que j'allais retrouver, parfois avec acuité, durant ces journées passées à Galilée : l'intuition que j'étais entrée dans un royaume qui n'était pas de ce monde.

«Vous n'êtes pas la première journaliste qui vient, m'a déclaré Orlando.

— Il y en a eu beaucoup?

— Pas mal. Il y en a un qui est venu avec des caméras de télévision. Et aussi des gens d'autres quartiers. De Loma Linda, de la Esmeralda. Même ceux de Fontibon ont fait le voyage pour voir...

— Ce doit être un ange très important que vous avez là.

— C'est vrai. C'est un ange magnifique.»

L'adjectif «magnifique» dans la bouche de cet enfant m'a fait sourire et je lui ai demandé si lui aussi, l'avait vu.

«Pardi. Tout le monde l'a vu, puisqu'il se laisse voir.

— Et tu as parlé avec lui?

— Non, ça non. Il ne parle à personne.

— Pourquoi est-ce qu'il ne parle pas?

— Pour parler, si, il parle, mais tout seul. Ce qu'il y a, c'est qu'on ne comprend pas ce qu'il dit.

— Pourquoi?

— Parce qu'on ne comprend pas ses langues.

— Il en parle beaucoup ?

— Peut-être vingt ou vingt-cinq. Je ne sais pas.

— J'ai l'impression que M. le curé ne croit pas à cet ange…

— Si, il y croit, mais il dit que non. En fait, il est jaloux.

— Jaloux de l'ange ? Pourquoi ?

— Parce que c'est devenu un ange très populaire. Et en plus il en a peur, c'est surtout ça. Il en a peur.

— Peur ? Comment ça, peur ?

— C'est que parfois l'ange est effrayant. »

Cette dernière phrase m'a frappée. Mais je n'ai pas pu le questionner davantage car nous étions arrivés devant la maison rose et les enfants s'y pressaient dans un grand vacarme. C'était une masure de pauvres, de celles qui sont toujours en chantier et que leurs habitants terminent, de bric et de broc, avec des morceaux de bois et de carton, des pots de fleurs, une lumière électrique piratée, une radio à fond la caisse et une imposante antenne de télévision.

Orlando a frappé à la porte, et j'ai été envahie d'une inquiétude bizarre. Quel genre de créature allait-on m'exhiber ? N'importe quel monstre était imaginable. J'ai respiré à fond et j'ai essayé de me préparer à ce qui pouvait arriver.

À l'intérieur, la maison était obscure, et lourde de fumées et de parfums. Six ou sept femmes qui priaient à genoux m'ont clouée des yeux, comme si elles plantaient des épingles vaudou dans une poupée de chiffon. Puis elles ont paru se désintéresser de moi et s'absorber dans leurs dévotions, mais de temps en temps je sentais à nouveau la pique de leurs regards inquisiteurs.

Orlando, le seul enfant qui soit entré avec moi, m'a tirée par le pantalon pour que je m'agenouille, ce que j'ai fait. Puis il m'a désigné la femme qui menait la danse, armée d'un scapulaire. Cette dame était maigre à faire peur, tout habillée de noir, elle avait un visage terrifiant où il manquait quelque chose. Sans en avoir l'air, je me suis mise à la détailler : les yeux étaient à leur place, le nez, la bouche, le menton aussi. En fait, la seule chose qui lui manquait c'était une expression, mais cela suffisait à la rendre inhumaine, un peu dans le genre Niki Lauda, le coureur automobile brûlé vif dans un accident.

« C'est sœur Marie-Crucifix, la présidente du comité, m'a soufflé Orlando.

— De quel comité ?

— Du comité qui gère l'ange.

— Et la maman de l'ange ?

— Elle n'est pas là.

32

— Et la cape bleue ? » Cette question concernait une dame minuscule enveloppée dans une invraisemblable cape bleu roi. « Elle fait aussi partie du comité ?

— Oui, elle aussi. C'est Marujita de Peláez.

— Sa cape, c'est pour les cérémonies ?

— Non, c'est pour la pluie.

— La géante là-bas (je lui désignais discrètement une femme corpulente qui priait avec un abandon et une douceur incompatibles avec sa taille), qui est-ce ?

— Celle-là, c'est Baby Sweet Killer, une ex-championne de lutte, très célèbre à Galilée. Une suppléante du comité. Avant elle était mauvaise, un vrai caractère de cochon, surtout quand on la traitait d'Hommasse, qui est son surnom. Mais depuis qu'elle marche avec l'ange, elle s'est amadouée. On peut même l'appeler Hommasse sans qu'elle bronche. Vous comprenez, tout le monde n'est pas capable de prononcer "Sweet Baby Killer". »

Naturellement Orlando, lui, en était capable. Il y mettait même un accent traînant, comme celui de Tom Hanks dans *Forrest Gump*.

« Je comprends. Il y a des hommes dans ce comité ?

— Pas un. Que des femmes.

— Alors, celle qui commande, c'est la religieuse ?

— Quelle religieuse ?

— Ben, sœur Marie-Crucifix, non ?

— C'est pas une religieuse, c'est une civile. C'est elle qui va vous dire quand vous pourrez monter le voir.

— L'ange ? Où est-il ?

— Il se cache dans la montagne, dans ce qu'on appelle les grottes de Béthel. »

De nouvelles personnes sont arrivées, une demi-douzaine d'hommes et de femmes qui se sont installés dans les coins sans déranger ni faire de bruit. C'étaient des pèlerins, ainsi qu'Orlando me l'expliqua, et certains apportaient des offrandes. J'ai remarqué qu'à l'intérieur la maison ne ressemblait pas au traditionnel gourbi des pauvres où s'entassent harmonieusement sur cinq mètres carrés huit enfants, trois lits, deux fauteuils à bascule, une salle à manger avec un buffet et six chaises, une glacière, des tables de nuit, des chiens et des poules, des tabourets, des almanachs, des marmites et de la vaisselle. Cette maison était différente, plus spacieuse, moins encombrée, et les objets et les personnes semblaient y être parfaitement à l'aise.

Le temps s'écoulait et j'attendais qu'il se passe quelque chose, mais rien, sauf des Ave Maria l'un derrière l'autre. Sœur Marie-Crucifix entonnait le couplet, nous lui emboîtions le pas, et le fredonnement menaçait d'être éternel. Mes genoux n'en pouvaient plus de tant de pénitence.

« Orlando, ai-je demandé, est-ce que je ne pourrais pas dire un mot à doña Crucifix ?

— On ne peut pas interrompre. C'est défendu.

— J'en ai assez de prier.

— De toute manière, il faut attendre qu'il ne pleuve plus. »

Quatre mystères du rosaire ont encore défilé avant qu'il cesse enfin de pleuvoir et qu'un remue-ménage dans la maison indique que l'heure était venue. Sœur Marie-Crucifix a disparu, puis elle a réapparu et elle a commencé à donner quelques ordres.

« Les femmes avec la mantille, les hommes découverts. »

Avec sa tête de sainte embaumée, elle s'approchait de chacun de nous et nous prenait par le bras pour nous mettre en file indienne près de la porte. Parfois, la position de tel ou tel ne semblait pas lui convenir et elle le déplaçait plus en avant ou plus en arrière — Dieu sait sur quels critères puisque ce n'était pas par ordre de taille —, et c'est à la queue leu leu, comme les nains de Blanche-Neige, qu'elle nous a fait sortir dans la rue. J'ai regardé la montagne avec découragement, comme si là-haut m'attendait un rendez-vous indésirable.

« Vous venez aussi faire la connaissance de l'ange ? ai-je demandé au monsieur à chapeau qui était derrière moi.

— Je le connais déjà. Je viens lui apporter une offrande pour le remercier d'avoir sauvé ma petite-fille d'une mort certaine », m'a-t-il dit en me montrant une poule ficelée par les pattes qui m'a semblé encore plus ahurie que moi.

J'avais espéré profiter de la réconfortante compagnie d'Orlando, mais sœur Marie-Crucifix m'a annoncé que l'enfant ne pouvait pas se rendre à la grotte, car aucun mineur n'y était admis les lundis et les jeudis. J'ai demandé pourquoi, mais la dame était là pour donner des ordres, non des explications.

Puis il y a eu d'autres problèmes logistiques à résoudre, comme celui de me trouver un couvre-chef. Puisqu'il avait été précisé que les hommes devaient être découverts et que mon voisin portait un chapeau, je lui ai demandé de me le prêter et je l'ai mis sur ma tête. Mais ce n'était pas fini.

« Vous ne pouvez pas entrer en pantalon », m'a dit Crucifix. J'ai donc serré la ceinture de ma gabardine — un long trench-coat boutonné jusqu'en bas — et sur-le-champ ôté mon jean.

« Me voilà en jupe, ai-je dit.

— Vous ne pouvez pas non plus emporter d'appareil photo.

— J'ai besoin de photos, au moins une.

— C'est impossible. Le flash lui fait peur. »

J'ai expliqué, supplié, mais ça n'a servi à rien : j'ai dû

confier mon appareil à Marujita de Peláez, la femme à la cape bleue. C'était vraiment une catastrophe. Il se faisait tard, je n'avais toujours pas d'histoire, je n'avais encore rien vu de concret qui soit d'un quelconque intérêt pour *Somos*, et voilà que maintenant il n'y aurait même pas de photos. Mon article pouvait être digne du Pulitzer, sans photos, mon patron le refuserait.

Nous avons enfin démarré, mais nous n'avions pas fait vingt mètres qu'un autre obstacle a surgi, le plus insolite de tous.

Arrêtant la procession, sœur Crucifix m'a une fois de plus mis le grappin dessus, et me prenant à part, elle a lâché cette question : « Puis-je savoir si vous avez eu la visite ?

— La visite ? Quelle visite ?

— Je veux dire, est-ce que vous êtes indisposée ? »

Je me suis dit qu'il s'agissait de quelque croyance atavique qui veut qu'en présence du sang menstruel le vin s'aigrisse et le fer se rouille, et dans ce cas, allez savoir ce qui arriverait aux anges, et j'ai eu peur qu'on ne m'interdise l'entrée de la grotte.

« Non madame. Je suis pure, lui ai-je répondu franchement, dans un langage que j'ai souhaité approprié au sien.

— Pouvez-vous m'indiquer la date exacte de vos dernières menstruations ? »

C'était le comble. Ladite Crucifix ne parlait pas seulement comme un misogyne des temps bibliques, mais encore comme un gynécologue lors de la visite de contrôle semestriel, et j'ai été sur le point de l'envoyer au diable, elle, l'ange, et *Somos* par-dessus le marché. Mais je me suis retenue. Qu'avais-je à perdre en répondant ? Je ne me souvenais absolument pas de la date — je n'ai jamais tenu la comptabilité de mes règles — et j'ai donc répondu n'importe quoi :

« Il y a quinze jours exactement. »

J'avais apparemment donné la bonne réponse, car elle m'a laissée reprendre ma place dans la file, et nous nous sommes engagés dans la montagne par un sentier jaune qui s'ouvrait entre les genêts mouillés et les acacias mimosa.

« Leurs graines sont très vénéneuses, ne les mangez pas », m'a conseillé mon voisin en me signalant des fruits verts qui abondaient dans le coin.

Il ne m'était pas une seconde venu à l'esprit de les manger mais je l'ai tout de même remercié de son conseil.

Nous n'avons pas marché longtemps, à peine dix minutes, et nous sommes arrivés devant un trou percé dans la roche, à demi obstrué par une grosse pierre. C'était l'ouverture des grottes.

Mon enthousiasme d'il y a deux heures s'était évanoui, et à l'idée d'entrer, je ressentais à présent un peu de dégoût et de répugnance, comme si l'ange m'avait par avance déçue et que je sois sûre que tout ça n'était qu'un bobard monté par un petit malin, ou pire, un bobard monté par d'honnêtes gens. Tandis que nous attendions, ma répulsion grandissait. Qui enfermait-on ici ? Un hermaphrodite ? Un lépreux ? Elephant Man ? Kaspar Hauser ? Quelle malheureuse victime de l'ignorance et de la superstition ?

Sœur Marie-Crucifix a fait de nouvelles recommandations, cette fois à l'adresse de tout le groupe.

« Vous allez maintenant pénétrer dans les grottes de Béthel, la demeure de l'ange. Vous devez enlever vos chaussures et les laisser à l'entrée, car vous allez fouler la Terre sainte. Lorsque vous serez à l'intérieur, vous chanterez le *trisagion* ou hymne séraphique, unique langage que comprennent les anges. Ne dites rien d'autre, car les sons humains le fatiguent. Si vous l'ignorez, le *trisagion* dit ceci : Saint, saint, saint. Saint est le Seigneur.

— Saint, saint, saint. Saint est le Seigneur…

— Ceux qui apportent des animaux doivent les laisser ici. Même chose pour les cadeaux et les offrandes. On ne doit pas donner à manger à l'ange, ni l'effrayer par des cris, ni essayer de le toucher. Que personne ne reste en arrière car il se perdrait, et tout le monde doit sortir des grottes en même temps, avec le groupe. »

Crucifix débitait son chapelet de conseils comme une hôtesse de l'air énumérant au décollage les consignes de sécurité. J'ai fermé les yeux pour ne pas voir mon voisin tordre le cou de sa poule avant de l'abandonner, mais il ne l'a pas fait, il l'a seulement laissée vivante, là où on lui a dit, à côté d'un sac plastique contenant des figues.

D'une poussée de sa puissante épaule, Sweet Baby Killer a dégagé la pierre qui bloquait l'entrée. Lorsque mon tour est arrivé, je me suis baissée pour me glisser dans le trou et une désagréable odeur d'humidité m'a sauté aux narines. Une odeur de centre de la terre, me suis-je dit, et peut-être par association d'idées : une odeur d'éternité. Ou de tombeau ? Oui, ce devait être une odeur de tombeau.

L'intérieur devenait plus obscur et moins étroit, à chaque pas nous nous redressions davantage. Sœur Crucifix nous précédait, portant une torche aux piles mourantes. Saint, saint, saint, nous pénétrions dans les ténèbres, nous soutenant les uns les autres parce que nous n'y voyions presque rien, saint est le Seigneur, et sous nos pieds nous sentions la glaise du sol, glissante et glacée.

Nous avancions, mesurant chacun de nos pas, comme si devant nous allait s'ouvrir un précipice. Puis la voûte de la caverne est devenue de plus en plus haute, jusqu'à ce qu'on ne puisse plus la toucher avec la main. J'ai senti un souffle de vent sur le visage et j'ai eu la sensation d'être arrivée dans un espace grand et vide. Tout était terriblement absurde, saint, saint, saint, moi debout dans les entrailles de la planète, en gabardine et pieds nus, le chapeau d'un étranger sur la tête, répétant le mot saint en tremblant, sans savoir si c'était de froid, d'émotion, ou de peur.

« Il faut attendre ici », a ordonné Crucifix, tandis que la lumière anémique de sa torche dansait, erratique, en nous dévoilant quelques pans de pierre incurvée.

Il n'est pas très plaisant d'attendre dans le noir l'apparition d'un inconnu, et encore moins si l'on imagine qu'il a des ailes et qu'il peut arriver en voltigeant. Nerveux, notre groupe s'est resserré et a chanté plus fort le Trisagion, seule voie d'accès au surnaturel. J'ai commencé à me demander si le souffle que je sentais, en fait de vent, n'était pas plutôt dû au vol rasant des chauves-souris. Et si par terre, il n'y avait pas des rats. Impossible de savoir combien de temps cela dura, tout était en suspens, le monde réel avait disparu, la claustrophobie — ou était-ce l'angoisse — me serrait la gorge.

De temps en temps quelqu'un toussait, et l'écho lui répondait, saint saint saint. Saint est le Seigneur…

J'ai entendu des bruits : comme un crépitement de feu ou un ruissellement d'eaux souterraines. Ou peut-être était-ce seulement la rumeur que renvoyait l'obscurité. Soudain, mon voisin m'a murmuré à l'oreille : « Je le sens. Il est tout près.

— L'ange ? » Ma voix aussi était un soupir.

« Oui.

— Comment le savez-vous ?

« — Vous ne vous rendez pas compte ? Vous ne sentez pas comme l'air est chargé de sa présence ? »

Je ne sentais qu'un serrement de gorge supplémentaire et je regardais Crucifix se livrer à un curieux manège qui consistait à braquer la lumière de sa torche sur le miroir d'un poudrier, en lançant ainsi des espèces de signaux intermittents. Mais j'ai répondu que oui, que je me rendais compte, et j'étais peut-être sincère. C'est alors que je l'ai vu.

Sans qu'aucun bruit l'ait annoncé, sorti de je ne sais où, un jeune homme s'approchait de nous. Très grand. Presque nu, très brun. Et effroyablement beau. C'était tout. Et c'était trop. Mon cœur fit un bond puis s'arrêta, paralysé de saisissement devant la vision. Ce n'était qu'un jeune homme et cependant j'eus la certitude qu'il était aussi quelque chose d'autre, une créature venue d'une autre sphère de la réalité.

Il se mouvait avec la lente et paresseuse ondulation des êtres aquatiques, ou des mimes, et son attitude était à la fois humble et majestueuse, comme celle d'un cerf. Il resta devant nous quelques secondes, sans émettre un son, sans s'approcher ni fuir, comme s'il ne s'apercevait pas de notre présence. Nous ne pouvions pas détacher nos yeux de lui, quand ses yeux au contraire passaient à travers nous sans nous voir, et j'en compris la raison : au milieu de la grotte obscure nous étions invisibles, taches noires sur fond noir, tandis que lui se consumait à petit feu, resplendissant d'une lumière incandescente qui paraissait jaillir de son corps.

À la sortie de la grotte, Orlando m'attendait pour m'annoncer que doña Ara, la maman de l'ange, voulait me montrer ses cahiers.

«Quels cahiers?

— Vous allez voir.»

J'ai repris, avec Orlando, le chemin de la maison rose, bien que j'eusse préféré rester un peu seule, histoire de m'éclaircir les idées. L'ange de Galilée m'avait perturbée.

C'était la créature la plus inquiétante qu'il m'avait été donné de voir. Tout dans ce garçon était inexplicable, le mystère qui l'entourait, sa surprenante sérénité, sa présence lumineuse. Et sa beauté… sa beauté véritablement irrésistible. Disons-le une bonne fois : sa beauté surnaturelle.

D'un autre côté, tout dans son histoire était atroce. Que faisait un tel être enfermé dans les ténèbres d'une grotte, à demi nu dans ce froid pénétrant, à la merci d'une folle comme Crucifix ? Ma première impulsion fut d'aller chercher un téléphone pour appeler au secours je ne sais qui, un médecin, un responsable des droits de l'homme, la police… Non, surtout pas la police, leur opération de sauvetage aurait toutes les chances de se conclure par la mort de l'ange.

Et si le garçon était lui-même complice de cette mise

en scène ? S'il participait volontairement au spectacle ?
Mais pour quel profit ? Il n'était apparemment pas question d'argent, du moins pour ce que j'avais pu en voir,
à part quelques offrandes volontaires, mais qui irait se
prêter à pareil cirque pour une vieille poule et un
sac de figues ? Ce garçon était peut-être honnêtement
convaincu d'être un ange.

Ou peut-être était-il un ange... Pourquoi pas ? Après
l'avoir vu, on se sentait enclin à en admettre la possibilité.

J'entendais chuchoter mes compagnons de visite qui
étaient déçus, et j'ai été étonnée d'apprendre la raison
pour laquelle ils ne partageaient pas mon enthousiasme.

« J'ai l'impression que vous n'êtes pas sorti très
convaincu de la grotte, ai-je dit au monsieur qui m'avait
prêté son chapeau.

— Cette fois-ci, l'ange n'était pas au rendez-vous, a-t-il
répondu avec résignation.

— Comment ! Il est apparu, et il était splendide !

— Oui, mais il n'a rien fait. »

J'ai cru comprendre son raisonnement. Pour qu'un
homme s'enthousiasme, il faut qu'il se passe quelque
chose, tandis que pour une femme il suffit que les choses
soient.

Orlando me tirait par la main et je me laissais entraîner. En arrivant à la maison rose, il m'a introduite dans
une petite pièce dans laquelle une femme alimentait un
poêle, laissant les flammes illuminer son beau visage. Elle
devait avoir à peine mon âge et sur ses traits j'ai reconnu
ceux de l'ange. C'était sans conteste sa mère, je n'ai
jamais rencontré deux êtres aussi semblables.

Sur une table, un cahier Norma quadrillé était ouvert,
griffonné ligne à ligne d'une écriture compacte, chaque

mot capricieusement parachevé par une petite queue en l'air.

«Je note ce qu'il me dicte, m'a dit Ara en tournant doucement les pages du cahier. Ce livre est le cinquante-troisième. Voici où je garde les cinquante-deux autres.» Elle me montrait un coffre métallique fermé par un cadenas.

«Vous voyez, Monita, cinquante-deux cahiers, cinquante-trois avec celui-là, a renchéri Orlando, mais doña Ara a poursuivi sans l'entendre :

— Voilà neuf ans que je note. J'ai commencé à écrire sous la dictée de mon fils, bien avant son retour.»

Elle m'a tout expliqué sans que j'aie besoin de le lui demander. Son nouveau-né lui avait été enlevé et elle ne l'avait retrouvé que dix-sept ans plus tard, deux ans auparavant. Je ne la questionnais pas, elle continuait son récit toute seule, dans la douloureuse urgence de revivre pour la millième fois cette histoire, comme un chien qui lèche une blessure inguérissable.

«Le père de mon fils n'a été qu'une ombre, me dit-elle. Un soir il est sorti de l'obscurité, sans visage et sans nom, il m'a jetée par terre, et puis il s'est évaporé. Tout ce que j'ai su, c'est qu'il avait une bague à la main droite, et que ses vêtements sentaient l'antimite.

«Il ne m'a pas gardée longtemps, juste ce qu'il faut pour faire un enfant. Je venais d'avoir treize ans, et mon père avait arrangé mon mariage avec un homme riche et âgé qui possédait un camion. Autant dire que la nouvelle ne lui a pas fait plaisir.

«D'abord, il n'a pas voulu que j'aie l'enfant et il m'a emmenée chez une femme qui m'a fait boire une tisane amère et m'a enfoncé des aiguilles à tricoter dans le ventre. J'ai vomi, et puis j'ai perdu du sang, mais mon enfant n'a pas voulu sortir et il a continué de grandir sans s'occuper de la terrible colère de mon père ni des menaces qu'il proférait.

« L'enfant qui grossissait et commençait à se remarquer, mon père qui ne décolérait pas, furieux comme un tigre. Jusqu'au jour où, sans dire un mot, il m'a emmenée à la campagne et m'a obligée à me cacher pour que mon futur ne me voie pas. Ce qu'il lui a dit à lui, je n'en sais rien, peut-être que j'étais malade, ou qu'il ne pourrait m'approcher que le jour du mariage.

« Lorsque mon enfant est né, on m'a à peine laissé le temps de le voir. Je n'avais pas vu le père et, de la même façon, je n'ai presque pas vu le fils. On me l'a retiré tout de suite, mais j'ai eu le temps de m'apercevoir de son extraordinaire beauté, de l'éclat lumineux de sa peau. J'ai vu aussi la profondeur de son regard — il vous transperçait jusqu'à l'âme — parce que dès le début il a eu les yeux grands ouverts.

« J'aurais voulu savoir s'il sentait l'antimite, parce qu'il me semblait qu'il aurait dû en être imprégné, comme son géniteur. Mais il ne sentait que moi-même, mon propre sang, ma propre odeur.

« On me l'a ôté tout de suite, mais j'ai quand même réussi à lui mettre au cou une petite médaille en or de la Vierge du Vent, celle que j'avais portée toute ma vie. Après mon accouchement, je n'ai plus revu mon enfant, et chaque jour, chaque heure, je l'ai réclamé jusqu'à ce que ma mère me prenne en pitié et me dise la vérité.

« Elle me raconta que mon père l'avait vendu à des gitans d'un cirque itinérant et qu'il avait ainsi commencé sa vie, privé du sein maternel, parcourant le monde et en éprouvant sa dureté. Je pleurais tellement que ma mère pour me consoler me disait "Cesse de pleurnicher, ou tu ne pourras pas te marier".

« Alors je pleurais encore plus parce que je n'aimais

44

pas mon promis, je n'aimais que mon enfant, et je rêvais qu'une bonne gitane lui faisait téter son doigt couvert de sucre et qu'elle empêchait les fauves du cirque de l'effrayer.

« On a fait tarir mon lait et l'heure arriva de me donner à cet homme. Mais le mal était fait et lui, même vieux, il allait se rendre compte que j'avais perdu ma virginité. Or il voulait se marier avec une vierge qui n'avait pas connu le péché, c'étaient ses conditions. Alors mon père m'a ramenée chez la même femme et, en une demi-heure, elle a accompli le miracle de me rendre vierge bien que mère.

« Elle a fait ce rafistolage avec de la toile d'araignée et du blanc d'œuf, et lorsque j'ai quitté sa maison, j'étais comme neuve. On m'a habillée de tulle blanc et je me suis approchée de l'autel, l'emplâtre entre les jambes. Mais le vieux n'était pas idiot, sitôt au lit il s'est aperçu de la supercherie, et il m'a renvoyée le soir même.

« "Qu'il reste donc vieux garçon", a dit mon père, à demi résigné à ne plus être le beau-père d'un homme riche. Mais ma mère l'a couvert de reproches, allant même jusqu'à dire "Il nous serait au moins resté l'enfant si tu n'avais pas préféré le vendre parce qu'un camion t'avait tapé dans l'œil !" Désespérant de mon avenir, mes parents m'ont conduite chez monsieur le curé d'alors, et je suis entrée à son service pour m'occuper de sa maison et de l'église. Ce curé était déjà très vieux, de lui je n'ai pas eu à me plaindre, jusqu'à sa mort il s'est bien comporté avec moi, il m'a appris à lire les écritures et à chanter les psaumes, et il me laissait partir avant l'heure bien qu'il sache que je n'avais qu'une idée en tête : sortir du quartier pour aller rôder en ville, à la recherche de mon fils.

« Je m'arrêtais devant chaque petit mendiant, cherchant à le reconnaître sans me laisser tromper par mes yeux, car il pouvait avoir changé d'aspect, mais en me fiant à la sûreté de mon flair. Je les reniflais comme un chien, sûre que je reconnaîtrais le mien à l'odeur. Je l'ai cherché dans les orphelinats, sous les chapiteaux, sur les marchés, tous les jours je m'éloignais un peu plus, jusqu'à parvenir aux limites où la ville devient bidonville. Chaque soir je traînais un peu plus tard, je connaissais les enfants qui vendent leur corps, ceux qui dorment sur le trottoir enveloppés dans un journal. J'ai vu des enfants difformes, des enfants brûlés, d'autres avec des visages d'adultes. J'ai vu des enfants clowns, des petits cireurs de chaussures, des gosses des rues. J'ai vu travailler les enfants portefaix, ceux qui vendent des jouets à quatre sous, les crieurs de journaux, ceux qui chantent à la sortie des cinémas. Je les ai tous sentis, sur aucun je n'ai reconnu l'odeur.

« Qui aurait pu croire que le destin me le ferait retrouver, dix-sept ans après sa naissance, alors que j'étais sur le seuil de la porte de ma propre maison. Pas un seul jour je n'avais cessé de le chercher, sauf ce jour-là où, accablée de fatigue, j'avais dû m'appuyer contre le chambranle de la porte pour reprendre haleine. C'est alors qu'il est arrivé, à petits pas lents. Déjà grand, avec une ombre de barbe sur son visage d'enfant, et ces mêmes yeux scrutateurs d'âmes qu'il avait ouverts le premier jour. Sa beauté était intacte, plus encore, renforcée, à tel point qu'il était impossible de le regarder sans défaillir.

« Sa douceur vous inondait et vous apaisait comme les eaux calmes d'un grand lac. Mais il était silencieux. Il n'a pas parlé ce jour-là et n'a jamais parlé depuis. Des sons sortaient de sa bouche, mais ce n'était pas un langage, plutôt un babil, un roucoulement de litanies, peut-être apprises en d'autres mondes. C'est pour cela qu'il n'a jamais pu me raconter où il était allé ni ce qu'il avait vu, comment il avait vécu et comment il m'avait retrouvée.

« Mais c'était lui, je l'ai su à cause de l'odeur, et lui aussi a su avec certitude qui j'étais, qu'il était enfin avec moi et qu'au bout du compte il était arrivé là où il devait arriver.

« Je n'ai pas regretté qu'il ne parle pas, son silence était si profond et sa présence si claire que j'ai compris que les mots étaient de trop et qu'il valait mieux taire les douleurs d'une aussi longue absence. Si les choses ont été ainsi, c'est qu'elles devaient l'être. Et lui a récompensé ma patience, et avec le temps il m'a appris à comprendre.

« Sept ans avant son apparition, il avait désiré que chaque nuit, sans faute, j'entre en transes, et même parfois le matin, ou encore l'après-midi, car l'éclair me foudroyait sans respect pour l'heure, le travail, les rêves et le repos, et je devais ouvrir le cahier et commencer à écrire.

« Les mots qui me sortaient de la main étaient les paroles d'un ange, comme sœur Marie-Crucifix l'a reconnu dès qu'elle les a lus. Pas seulement d'un ange, mais de différents anges : à chaque intervention, il était autre. Et c'est ainsi que j'ai accumulé les cahiers, sans savoir qui, en réalité, me les dictait.

« Lorsque mon fils est revenu, le flot de la dictée ne s'est pas interrompu, bien au contraire, il a continué avec tant d'énergie que j'ai commencé à maigrir et que j'étais épuisée d'écrire avec une telle frénésie.

« Pour le reste, il a suffi de mettre les choses bout à bout, d'additionner deux et deux, et de voir que simplement cela faisait quatre. C'est sœur Marie-Crucifix qui me l'a révélé, parce que c'est elle qui la première l'a compris : les phrases que mon fils ne pouvait prononcer avec sa bouche, il les révélait au travers de mes mains. L'ange de mes écrits, c'était lui. »

Hier je n'existais pas, et demain je ne serai plus, ce n'est que dans cet instant infini que je suis l'ange Orifiel, Trône de Dieu, siège mobile du Père, et mon bonheur éternel est de soutenir le poids de ses puissantes et très larges fesses. On m'appelle Trône parce que sur moi s'assoit en toute tranquillité et sérénité la majesté de Dieu. On m'appelle Roue et on m'appelle Char, parce que sur moi se transporte Yahvé.

Je n'admets nulle matière, je ne tolère aucune forme, je suis pur impact, explosion d'énergie, extase aveuglante. Je n'ai pas de corps, mais des centaines de pieds : véloces sabots de veau, brillants comme l'airain poli, étincelants comme le fer qu'on bat sur l'enclume. Je suis feu et ma flamme est vive, je suis char et je dévore l'espace, je suis éclair et je tonne sur les cimes du temps. Je fais rouler les étoiles d'abîme en abîme et je soutiens le divin cavalier dans ses déplacements au long des sphères célestes. C'est Dieu en personne qui galope sur mon dos, enfonce ses éperons dans mes flancs tendres, sème sur son passage les torrents incandescents de mon sang ambré, mon sang obéissant à ses saints caprices.

Ma tête est une et elle a quatre visages, l'un regarde au nord, l'autre au sud, le troisième à l'orient, le quatrième au ponant, et chacun d'eux va de l'avant. Quatre paires d'yeux et je ne vois que Dieu, quatre nez pour humer son essence, huit oreilles pour écouter son écho, quatre bouches pour louer son seul nom sans trêve ni repos, de nuit comme de jour, jusqu'à la fatigue infinie : Saint, saint, saint !

Saint est le Seigneur. Si accablante est sa présence, si absorbant l'océan de son amour, qu'Il stupéfie, dévore, détruit, annihile tout de son excessif déploiement de lumière. Trop de lumière ! Tout le reste pâlit et s'efface. Devant mes yeux par Lui éblouis, le monde des hommes miroite à peine derrière des voiles de verre liquide.

Le nom de Dieu est trop grand pour moi. Qui suis-je, moi, Orifiel, pour le prononcer ? Je ne suis que néant dissous dans le néant, chien dévoué, serviteur sans voix qui prosterne jusqu'à terre ses quatre visages.

Le Créateur m'a ouvert les portes de toutes ses gloires et de ses paradis, de toutes ses grâces et de ses splendeurs, sauf une, fondamentale : ma science ne peut Le déchiffrer. Si éloigné de mon entendement est son mystère que toute prétention de le saisir me précipiterait irrémédiablement dans le péché d'orgueil. Il me suffit, et cela me comble de voir ses reflets, de supporter son poids monumental, d'entendre de sa bouche les ordres que j'accomplis avec empressement avant qu'Il ait le temps de compter jusqu'à deux : Prends cette braise dans tes mains, Orifiel, et verse-la sur cette ville ! ou bien : Tu t'appelleras Merkaba, Orifiel, et je monterai dans ton char ! ou alors : Apporte-moi un peu de pain, Orifiel, il me plaît d'avoir faim ! (Au gré de ses désirs de grand créateur de mondes et inventeur de noms, aujourd'hui Il m'appelle Orifiel, demain Merkaba, hier Metatron, ou par tout autre de mes soixante-seize surnoms).

Je n'ai ni unité ni identité : je ne suis pas un mais légion, je suis ou nous sommes plus de mille, roue à l'intérieur d'une autre roue, elle-même à l'intérieur d'une autre roue, elle-même à l'intérieur d'une autre roue, jusqu'à former les dix troupes qui composent l'armée concentrique des Roues et des Trônes. Que nul n'essaie de nous séparer, car nous sommes insaisissables. Nous brûlons de fièvre dans la vertigineuse spirale de la multiplicité, et de nos mains sortent des colonnes de fumée.

Nous sommes si immenses que nous embrassons les galaxies, et en même temps si infimes que nous tenons dans la tête d'une seule épingle. Comme c'est saisissant, comme c'est atroce, cette quantité inimaginable d'anges que contient la tête d'une épingle !

Nous nous appelons Orifiel, Trône de Dieu, repos de ses immenses fatigues. Nous nous appelons Orifiel, Roue de Dieu, véhicule de ses interminables voyages. Nous nous appelons Orifiel et nous sommes bénis entre tous les anges, parce que c'est à nous seuls qu'il a été donné de nous asphyxier de bonheur sous les fesses roses de Dieu.

II

L'Ange-Sans-Nom

Doña Ara, jeune madone des douleurs, était partie après m'avoir promis que ce soir elle ouvrirait la malle. Son histoire m'avait émue et je me demandais qui, de l'ange ou de sa mère, était le plus fascinant.

J'ai parcouru rapidement le cahier qu'elle m'avait laissé et j'ai pris plusieurs photos. Je n'ai réussi à lire en entier que les pages écrites ce jour-là, quelques heures plus tôt, sous la dictée d'un être céleste qui disait s'appeler Orifiel et se définissait lui-même comme trône ou roue.

Cette lecture m'a sérieusement perturbée. D'où sortaient, réellement, ces cahiers incroyables, trop simples pour être dictés par un ange mais dont il était hautement improbable qu'ils aient pu être écrits par de pauvres gens d'un quartier analphabète ? J'ai relu plusieurs fois chaque ligne du texte, perplexe, hypnotisée par cette créature ailée qui, par le truchement d'un cahier quadrillé de cinquante pages, déclarait ni plus ni moins porter Dieu sur son dos.

Qui pouvait bien avoir écrit cela ? Si l'auteur en était Ara, il fallait admettre l'une des trois possibilités suivantes : ou bien elle recevait son inspiration d'ailleurs ou d'un autre, ou bien elle avait une personnalité plus complexe que celle que l'on pouvait supposer, ou bien, tout simplement, elle copiait ça quelque part. L'hypothèse la plus séduisante restant, bien sûr, la propre version d'Ara, selon laquelle c'était la voix secrète de son fils l'ange qu'elle captait par une sorte de télépathie et transcrivait. C'était l'hypothèse la plus séduisante mais aussi la moins convaincante, tant il était délirant de penser qu'un jeune garçon qui ne parle pas espagnol soit capable de dicter des textes que j'aurais été incapable d'écrire, moi qui suis journaliste et qui vis de ce métier. Quoi qu'il en soit, d'origine humaine ou divine, originaux ou apocryphes, ces cahiers étaient une révélation et représentaient un authentique mystère.

Orlando lisait par-dessus mon épaule.

« Tu vois bien qu'il sait son nom, lui ai-je dit en lui indiquant une des dernières lignes du texte. Il dit que c'est l'ange Orifiel qui parle.

— C'est ce qu'il dit aujourd'hui, mais demain il dira autre chose. »

J'aurais donné un doigt de ma main pour pouvoir continuer à lire, tout ceci me passionnait au plus haut point et, de plus, j'appréciais la chaleur bienfaisante du poêle. Quelqu'un, dans un geste secourable, avait mis à sécher près du feu mon jean et mes tennis. Mais je devais interrompre ma lecture et ressortir dans le froid, parce qu'il était presque cinq heures et que je devais assister à la messe du père Benito.

Dehors, il pleuvait toujours et la boue épaississait. Bien que nous ayons, Orlando et moi, dévalé plutôt que descendu la rue jusqu'à l'église, nous sommes arrivés en retard et nous avons débarqué à la fin du sermon. À l'intérieur s'entassait une foule en ponchos qui répandait une odeur de chien mouillé. Au fond, cloué sur sa croix, souffrait un énorme Christ horriblement blessé et sanguinolent.

Je n'arrivais pas à voir le père Benito mais j'entendais le tonnerre de sa sainte colère qui retentissait, déformée, au travers des haut-parleurs :

« … Cette femme ose nous dire que pendant qu'elle était enceinte, elle a fait un rêve. Cette femme a rêvé, selon ses dires, qu'elle accouchait d'un veau, et c'est pourquoi elle a su que son fils serait béni. Blasphème ! Tout ceci pue le blasphème ! Je vous le demande : est-ce que le veau ne ressemble pas étrangement à l'agneau ? Et qui est l'agneau ? Eh bien, ni plus ni moins que Jésus ! Moi je vous dis qu'ici, dans cette paroisse, il y en a qui essaient de supplanter Jésus ! »

Après l'argument du veau qui s'adressait, je pense, à doña Ara, il a cité l'un des fragments dictés par l'ange, authentique je peux en témoigner, car je venais justement de le lire chez elle. Le curé avait à l'évidence un service de renseignements anti-partisans de l'ange particulièrement rapide et efficace. Ce qui avait par-dessus tout choqué le père Benito, c'était l'allusion aux fesses de Dieu : « Bouche immonde du démon, celle qui profane la dignité divine ! » Les haut-parleurs vibraient, ajoutant aux paroles dramatiques des effets électroniques. « Seule la bête libidineuse peut oser mentionner les intimités immaculées du Très-Pur. »

J'ai décidé de prendre quelques photos du père Benito qui, selon toute apparence, se dessinait comme le méchant de mon reportage. (J'imaginais déjà la légende que mettrait mon patron sous la photo : « Inquisition en chaire ! ») Je me suis avancée vers l'autel et j'ai commencé à opérer, cherchant à saisir les moues les plus éloquentes du sujet, qui étaient variées et agrémentées du fait qu'il débitait son sermon en fumant, le mégot de sa Lucky Strike collé à sa lèvre inférieure.

Je pense que mon erreur a été de sortir de l'assistance

et de fouler le pied de l'autel, ou de trop m'en approcher, ou de ne pas m'agenouiller quand il le fallait, en tout cas d'agir d'une manière qui a pu paraître incompatible avec le respect dû à la liturgie.

Il en est résulté qu'à partir de là le prêtre a fait tomber sur ma tête le flot de ses imprécations, sans me mentionner, mais en me regardant férocement comme si j'étais coupable et en me montrant du doigt, particulièrement lorsqu'il a parlé du « monde moderne », des « perversions du monde moderne ». Il a aussi mentionné le diable, le monde et la chair, en pointant trois fois son index vers moi, une fois par mot.

J'ai remarqué un homme qui ne me quittait pas des yeux. Il m'était inconnu, mais son visage exprimait une véritable fureur : je ressentais nettement sa haine contre moi, contre l'ange imposteur, contre les étrangers, contre les femmes provocatrices, contre ceux qui se moquaient de Dieu. Jusqu'à présent mon aventure au quartier Galilée avait été surprenante et, au fond, amusante. Mais l'expression de cet homme m'a fait comprendre que je nageais en eaux troubles. L'affaire de l'ange faisait vibrer des cordes très sensibles. J'ai regardé la foule autour de moi et j'ai vu qu'elle était sombre et tendue de fanatisme religieux.

Comme je me sentais mal à l'aise, et en même temps honteuse de les avoir offensés, je me suis fondue dans l'obscurité d'un bas-côté et me suis esquivée avant la fin de la messe. En sortant de l'église j'ai entendu dans les haut-parleurs le dernier rugissement du curé : « Que le faux ange révèle son véritable nom, afin que nous sachions à quoi nous en tenir ! »

J'ai invité Orlando à venir manger un morceau à *L'Étoile*, en territoire allié. Je n'ai presque pas reconnu la boutique dans sa version nocturne, avec ses lumières rouges et son air vieillot, ses clients taciturnes buvant de la bière, les bouteilles amoncelées sur les tables, et un trio de *tiple* *, guitare et maracas qui entamaient un *pasillo* ** d'une épouvantable tristesse. Orlando et moi étions en train de dévorer des *empanadas* de pomme de terre arrosées de piment, lorsque quelqu'un a annoncé : « Les gens du Paradis arrivent !

— Ce sont les pèlerins du quartier le Paradis qui viennent rendre visite à l'ange », m'a expliqué Orlando tout en fourrant dans ses poches ce qui restait d'*empanadas* et en engloutissant d'un coup sa limonade, avant de sortir en courant.

« Est-ce que vous vendez des pantalons d'homme ? » ai-je demandé au pompeux tenancier du bazar qui, avec plus de courbettes qu'un Japonais et après d'interminables concertations avec sa femme, m'en a proposé plusieurs en coutil, de diverses tailles. J'ai pris celui qui me semblait le plus approprié, et aussi une chemise, une torche avec des piles et des oranges. J'ai payé le tout et lorsque je suis sortie, Orlando s'était évanoui dans la foule.

Ceux du Paradis étaient une centaine, des hommes, des femmes et des enfants sous la pluie qui maintenant faiblissait. Ils venaient à pied, par jeeps pleines, sur des ânes, ils amenaient même un paralytique sur sa chaise et des malades sur des civières. Une véritable cour des miracles enveloppée de cette pauvreté difforme et sans merci qui est le propre de ces terres froides. Il n'était pas simple de me mêler à elle, et en même temps j'étais contente d'être là : j'ai toujours eu le sentiment que la vie est plus intense là où elle est la plus dure.

Les nouveaux arrivés se sont réunis dans la rue, face à

* Petite guitare à quatre cordes. *(N.d.T.)*
** Chant populaire colombien. *(N.d.T.)*

l'église, et ceux qui sortaient de la messe se sont groupés à leur tour sur le parvis, de sorte que les deux armées ennemies, celle du prêtre ici, celle de l'ange là, se sont affrontées à coups de regards aigres et d'hymnes concurrentes. Ceux de l'église entonnaient un chant très émouvant que j'avais appris à l'école : « lorsque je suis triste / et qu'en pleurant je t'appelle / que ta main répande / sa bienheureuse bénédiction », tandis que ceux de la place recevaient le crachin sur la tête et martelaient la cantilène séraphique : « saint, saint, saint. Saint est le Seigneur ». Je suis montée sur le parvis pour essayer, de là-haut, de découvrir Orlando et, sans savoir comment, je me suis retrouvée en train de chanter « que ta main répande », dont le bercement m'a ramenée à la lumière violette qui filtrait des vitraux de la chapelle de mon école primaire. J'étais en train de me rappeler avec envie Ana Carlina Gamo, qui était la chouchoute des sœurs parce qu'elle était la seule du chœur à pouvoir faire le solo de l'*Ave Maria* de Schubert, lorsque je me suis sentie tirée par l'imperméable.

« Allons-y, Monita ! »

C'était Orlando qui m'arrachait aux rangs ennemis pour me faire rejoindre les nôtres, lesquels, profitant de ce que la pluie avait presque cessé, s'employaient maintenant à allumer des torches. Et dans la nuit qui tombait, la procession s'est ébranlée et a commencé à gravir la pente, Orlando et moi dans l'avant-garde. Ceux du prêtre sont restés en bas, puis se sont dispersés. Pauvres comme ils l'étaient, ils méprisaient ceux de la ville basse et autres fanatiques de l'ange, parce qu'ils étaient encore plus pauvres qu'eux.

Nous avons été parmi les premiers à atteindre la maison de doña Ara. L'odeur âcre de la pluie s'était dissipée et l'air était imprégné de l'arôme des eucalyptus lavés fraîchement. Je me suis retournée pour contempler le prodige : une nuit intense avait, de son obscurité aiguë, nettoyé le ciel, ouvrant à mes pieds le saisissant panorama des quatre horizons.

J'ai su que je contemplais le monde depuis sa cime la plus haute. Au fond, très en dessous, s'étendait en une mer immense de points scintillants la carte complète des lumières de la ville, de toutes ses fenêtres illuminées, de chacun de ses réverbères, des phares de voitures, des âtres allumés, des yeux verts et rouges des feux de signalisation, du néon des publicités reflété dans les flaques des rues, des cendres incandescentes de toutes les cigarettes. Venant vers nous, le fleuve de torches des pèlerins du Paradis montait en zigzaguant comme un serpent lumineux, et sur la voûte du ciel, à portée de la main, la Voie lactée respirait doucement. L'univers était rempli de signes, et je sentais que je pouvais les déchiffrer.

Le pèlerinage était déjà assemblé sur le saint lieu, et il attendait l'apparition de l'ange. On lui avait amené les malades pour qu'il les guérisse, les nouveau-nés pour qu'il les baptise. Les vieux venaient pour être soulagés, les jeunes pour la curiosité, les tristes pour espérer, les sans-domicile pour être aidés, les femmes pour être aimées, les désespérés pour être bénis.

J'avais du mal à comprendre comment l'apparition d'un ange — une fiction tirée par les cheveux, une véritable histoire de fous — devenait à ce point décisive pour une communauté. Mais il était évident que pour ces gens le pouvoir d'un ange était aussi concret, accessible et fiable que celui d'un juge, d'un policier ou d'un sénateur, sans parler de celui d'un président de la République.

La bourrasque de la ville basse s'apaisait et l'air devenait tiède de tant de monde, de tant de respirations, de tant d'aspirations, de tant de torches allumées. La masse des pèlerins priait et pleurait, les pieds enfoncés dans la gadoue et le cœur ouvert au sublime. Leur ferveur était telle et leur foi si contagieuse que pendant un instant moi qui ne crois pas, à travers eux j'ai cru.

L'ange n'apparaissait toujours pas. Bien que mes motivations fussent très terrestres, je l'attendais moi aussi avec anxiété : à dire vrai, je mourais d'envie de le voir. Était-il réellement aussi magnifique qu'il m'avait semblé dans l'obscurité de la grotte ? Je voulais m'en assurer. En outre, il était indispensable pour mon article que son héros, l'ange de Galilée, fasse quelque chose, un miracle, si petit soit-il, n'importe quoi qui soit digne d'être raconté.

La porte de la maison s'est ouverte et la foule s'est précipitée pour être aux premières loges. Je me suis retrouvée au milieu de cette marée humaine, pouvant à peine respirer, et pour Orlando qui était très petit c'était pire, moi au moins mon nez dépassait. La foule nous poussait et nous compressait, et je me suis dit que lorsque l'ange sortirait elle allait nous piétiner pour pouvoir le toucher.

Mais ce n'est pas lui qui est sorti. Seulement sœur Marie-Crucifix et les femmes du comité, pour asperger les têtes avec de l'eau bénite puisée dans une calebasse, réciter des chapelets et prôner la patience. Nous allions voir l'ange, c'était juré, mais plus tard.

Les besoins des gens du Paradis ont commencé à se faire sentir, et les portes de la ville basse se sont ouvertes pour y remédier. Ici on réchauffait des biberons, là on prêtait des toilettes, là-bas on sortait des chaises pour les dames, ailleurs on apportait de l'ammoniaque pour ranimer une personne évanouie.

Avec l'aide d'Orlando, je prenais des photos et je faisais des interviews, émerveillée par le naturel stupéfiant avec lequel les pauvres se confrontent au mystère.

J'ai demandé à une dame sur une civière dont les jambes étaient enveloppées de bandages : « Pourquoi êtes-vous venue, madame ?

— Pour que l'ange guérisse mes plaies, regardez, je ne peux plus marcher.

— Vous ne pensez pas qu'un médecin vous soignerait mieux ?

— Un médecin ? La dernière fois que j'ai vu un médecin, c'était en 1973. Il était venu chez nous donner un coup de main pour une épidémie de choléra, mais la maladie n'a pas fait d'exception pour lui, quand on l'a sorti de là, il se vidait de partout, par le haut et par le bas. Depuis, je ne me souviens pas qu'il en soit venu un autre.

— Alors vous pensez que l'ange va vous guérir ?

— Ben, si c'est pas lui, je ne vois pas qui... »

À un monsieur avec une cravate noire et coiffé à l'ancienne : « Pardon, monsieur. Vous croyez que c'est vraiment un ange ?

— C'est prouvé.

— Comment ?

— Il apparaît chez moi. Pas comme ici, en chair et en os, mais dans son apparence spirituelle. La première qui l'a vu, c'est maman, qu'elle repose en paix, pendant qu'elle repassait des chemises dans la cuisine. Ce soir-là, ma femme a remarqué qu'elle parlait toute seule à voix basse et elle lui a demandé si elle avait besoin de quelque chose. Elle lui a répondu : j'attends cet ange du Seigneur qui est venu m'annoncer que mon heure est arrivée. Comme maman montrait un endroit derrière la bonbonne de gaz, ma femme a regardé aussi et c'est là qu'elle l'a vu. C'était une lumière très belle qui dégageait de la chaleur. Le halo est resté longtemps, et pour ne pas être impolies, elles lui ont tenu compagnie jusqu'au bout. Trois jours plus tard, ma mère est morte. Depuis, l'ange nous rend souvent visite. Il aime bien se mettre dans le même coin, il y brille, et il reste avec nous jusqu'à ce qu'il s'en aille. »

À un jeune garçon en blouson de cuir noir : «Tu crois à tout ça ?

— Il vaut mieux croire que pas croire. »

Une femme au sac havane et talons hauts assortis m'a avoué : «Moi je viens lui demander une maison.

— Et vous pensez qu'il va vous la donner ?

— S'il en a donné une à ma voisine, pourquoi pas à moi ? »

À une femme avec un enfant dans les bras : «Vous êtes sûre que l'ange de Galilée est un ange, et pas un être humain ?

— Comme si on pouvait croire qu'un être humain puisse parler tant de langues ! »

Une adolescente de quinze ans : «Je viens lui demander un petit ami. En fait, j'en ai déjà un, mais je le vois en cachette de mes parents.

— Qu'est-ce que vous lui demandez, alors ?

— Je viens lui demander que mon beau-père me donne la permission d'avoir un petit ami. »

Un vieillard aux yeux décolorés : «Je viens lui demander justice et vengeance contre les assassins de mon fils qui sont toujours en liberté.

— Et qu'est-ce que l'ange peut faire ?

— Les transpercer de son épée de feu. »

Un homme d'environ trente ans : «Moi je crois que ce sont des blagues.

— Pourquoi êtes-vous venu alors ?

— Par curiosité. »

Un homme en poncho, casquette et cache-nez : «C'est peut-être pas l'archange saint Michel, mais c'est notre ange. »

À une jeune fille agenouillée dans la boue, si confite en dévotion qu'elle semblait sur le point de léviter : « Comment s'appelle l'ange ?

— Le jour où on connaîtra son nom, ce sera la fin du monde. »

Je marchais derrière Orlando, ivre d'encens et de battements d'ailes de séraphins, heureuse de me plonger dans cette multitude déshéritée qui venait chercher la rédemption dans l'ultime maison de cet ultime quartier. Mais où était mon ange ? Que faisait-il, pourquoi ne venait-il pas recevoir tant d'amour, exaucer tant de suppliques, nous sauver pour toujours ou nous tuer une fois pour toutes de sa présence mystérieuse, de ses yeux si doux au regard halluciné ?

Sœur Marie-Crucifix a réapparu deux fois encore, accompagnée de Marujita de Peláez — toujours dans sa cape bleue — et de Sweet Baby Killer qui se tenait derrière les deux autres, avec son air de bon orang-outang, comme un garde du corps fidèle. Armée d'un mégaphone, Crucifix a calmé la foule à grands cris, et a demandé à tout le monde de rentrer chez soi, parce que, a-t-elle déclaré, il n'y aurait pas d'ange aujourd'hui.

Sans rancœur, leurs torches déjà éteintes, leurs malades épuisés et leurs enfants endormis dans les bras, ceux du Paradis ont pris le chemin du retour, résignés aux volontés du ciel qui n'avait pas souhaité leur envoyer son messager. Bonheur, malheur, mesquin aujourd'hui et généreux demain, ainsi allait le destin dans son caprice, et qui étaient-ils pour exiger quoi que ce soit ? Ils espéraient bien peu de cette vie, et ils avaient de la patience pour attendre celle de l'au-delà.

« Déçu ? ai-je demandé au blouson de cuir.

— *No problem*, m'a-t-il répondu. Si ce n'est pas pour aujourd'hui, ce sera pour demain. »

Ceux du Paradis ont regagné leurs foyers, et Orlando, qui tombait de sommeil, est allé dormir chez lui. J'étais dans l'incapacité de faire de même, premièrement parce qu'il était très tard et qu'il n'y avait plus de transports, deuxièmement parce que je devais me présenter le lendemain à la rédaction de *Somos* avec un article et des photos que je n'avais toujours pas, troisièmement parce qu'il me fallait lire les cahiers d'Ara. Et par-dessus tout, parce que je voulais trouver le moyen de revoir l'ange. Je me préparai donc à passer la nuit dans sa maison.

Où dormait-il, lui ? Doña Ara, qui l'aimait tant, n'allait pas le laisser mourir de froid dehors. S'il dormait dans la grotte, j'étais perdue, parce que je n'étais pas capable d'y aller toute seule et encore moins de le chercher dans le noir. Sans compter que Sweet Baby Killer m'aurait probablement étranglée avant, elle devait sûrement garder l'entrée pour défendre l'ange contre des visites inopportunes du genre de la mienne.

Ara, bien réveillée, m'attendait en regardant le dernier feuilleton de la soirée sur un vieux récepteur noir et blanc.

« Les pèlerins ont été tristes de repartir sans l'avoir vu, lui ai-je dit. Ils étaient venus avec leurs enfants, leurs malades. Pourquoi n'est-il pas sorti, doña Ara ?

— Mon fils est comme ça. Certaines fois il veut bien se montrer, d'autres non. »

Avec des gestes doux et maternels, elle a remis du charbon dans le feu et l'a attisé, elle a sorti de la naphtaline un châle de laine et me l'a mis sur les épaules, elle a approché ma chaise près du poêle et m'a apporté une assiette de nourriture que je n'ai pas pu refuser bien que je n'aie pas faim.

« Lisez jusqu'à ce que le sommeil vous prenne, Mademoiselle Mona, et ensuite, si vous voulez, vous pourrez vous coucher dans mon lit. Je peux dormir sur le divan de Crucifix, elle est si maigre qu'elle ne prend presque pas de place. »

Son hospitalité, même à ce point généreuse, ne m'a pas surprise. Je l'ai acceptée comme une chose naturelle, comme s'il s'agissait plutôt d'une complicité née du soulagement de pouvoir partager un si lourd fardeau d'amour. Aujourd'hui je crois qu'à ce moment-là déjà doña Ara avait deviné ce qui allait arriver… Moi, pas encore, mais elle oui.

« Dites-moi, doña Ara, où votre fils passe-t-il la nuit ?

— Je n'ai jamais pu le faire dormir dans un lit. Il n'aime pas ça. Il s'allonge par terre ici, près du feu, sur une paillasse, et il ne ferme pas les yeux. Mon fils est étrange, Mademoiselle Mona. Quand il est éveillé il a l'air endormi, et quand il dort, il a l'air éveillé.

— Il vit dans un demi-sommeil… Est-ce que tous les anges sont comme ça ?

— Je pense que oui, un œil sur ce monde et l'autre sur le mystère.

— Pourquoi n'est-il pas là en ce moment ?

— À cause d'un petit problème avec Crucifix. Elle ne sait pas toujours s'y prendre avec lui. Il était énervé et je l'ai laissé dormir dans le patio, juste derrière cette porte. »

À la pensée que je n'étais séparée de cette créature céleste que par une simple planche de bois, mon cœur s'est mis à battre très fort. J'ai osé demander à sa mère : « Je peux l'ouvrir ?

— Il vaut mieux attendre que Crucifix soit tout à fait endormie, m'a-t-elle dit en baissant la voix.

— Très bien. Attendons. »

De la pièce voisine nous parvenait le marmottement monocorde des prières de Crucifix.

« Asseyez-vous et lisez. Tenez, a dit doña Ara en me tendant la clé du coffre. Moi je regarde la fin du feuilleton.

— Doña Ara, encore une petite chose… Comment s'appelle votre fils ?

— Il n'a toujours pas de nom. Lorsqu'on me l'a enlevé, on ne m'a pas laissé le temps de lui en donner un. Quand il était au loin et que je l'invoquais à tout moment, je disais seulement "mon enfant, mon petit enfant". Mon père n'en parlait jamais, ma mère non plus, ils pensaient sans doute que s'ils ne le mentionnaient pas, j'allais l'oublier et leur pardonner. Lorsque mon fils est revenu, déjà adulte, je le lui ai demandé bien des fois. Je ne voulais pas lui imposer un nom, je voulais respecter celui que la vie lui avait donné. Mais il ne me l'a toujours pas dit. »

Je pensais à mon article. Si l'ange n'avait pas de nom, il ne me restait plus qu'à l'appeler « l'ange de Galilée » tout court. Ça n'allait pas enchanter mon chef qui aurait préféré un nom plus ronflant comme Luzbel ou Fulgor. Ou, au pire, Orifiel.

« Il ne s'appelle pas Orifiel, doña Ara ?

— Orifiel n'est qu'un de ses masques. Il ne veut pas révéler son vrai nom. Il se méfie des anges qui disent leur nom.

« — Dernière question : c'est vrai que vous avez rêvé d'un veau ?

— Oui, c'est vrai. Mais je n'ai voulu offenser personne, et surtout pas le père Benito. »

Elle s'est assise dans un fauteuil près du téléviseur, si attentive et si droite qu'on l'eût dite en visite de condoléances, et elle s'est plongée dans le spectacle des personnages gris et muets qui y gesticulaient.

« Mettez le son, doña Ara, ça ne me dérange pas.

— Pour quoi faire ? Ce qu'ils disent, on le sait par cœur. Lisez donc tranquillement. »

J'ai introduit la clé dans la serrure du coffre avec la fièvre de qui dévoile le septième sceau, et j'ai commencé à lire les Révélations des cinquante-trois cahiers, en caressant les pages parcheminées et décolorées par tant de doigts humectés de salive qui les avaient feuilletées et refeuilletées.

J'ai défait ma natte pour que mes cheveux, encore humides, finissent de sécher à la chaleur du feu. J'essayais de lire sans vraiment y parvenir, tant le tam-tam qui résonnait en moi était étourdissant.

Qu'avait donc ce garçon pour me bouleverser ainsi ? Il était férocement beau, énigmatique et lointain : plus qu'une femme n'en peut supporter calmement.

Je regardais la pendule, une éternité passait, et quand je la regardais à nouveau, pas un quart d'heure ne s'était écoulé. Le feuilleton s'achevait sur la séparation des amants.

« Très mauvais, cet épisode, a conclu doña Ara en éteignant le poste. Les vedettes de télévision ne font que souffrir. »

À cet instant, les douze coups de minuit ont sonné. Je me suis dit : « Mon ange va se transformer en citrouille. » Le couinement de souris des oraisons de Crucifix s'était tu, et Ara est allée l'espionner par l'entrebâillement de la porte.

« Elle dort comme une souche, a-t-elle dit. Maintenant, vous pouvez y aller, Mona. »

Pendant ce temps, j'avais récupéré mon appareil photo. J'aurais bien aimé demander à doña Ara si elle me permettait de l'utiliser, mais je ne l'ai pas fait, de peur qu'elle ne dise non. Je l'ai donc passé en contrebande dans mon sac, avec le pantalon et les oranges que j'avais achetés à *L'Étoile*.

« Vous entrez avec moi, doña Ara ?

— Il vaut mieux pas. Je vous attends ici. S'il vous fait peur, appelez-moi.

— Il peut faire peur ?

— Parfois, quand il a peur. »

La porte n'avait pas de serrure, il suffisait de la pousser pour qu'elle s'ouvre, et pourtant ma main hésitait, refusant d'obéir aux ordres que lui donnait mon cerveau. « Je dois entrer. Ce n'est rien d'autre qu'un jeune garçon », pensait ma tête, tandis que mon cœur disait autre chose et que mes pieds restaient cloués au sol. À la fin, l'attraction vers l'avant a été plus forte que celle qui me tirait en arrière, et j'ai pu franchir la porte.

C'était un patio découvert qui ne faisait pas plus de trois mètres sur trois. Assis sur le lavoir, baigné par un fantastique clair de lune, il était là.

Il avait la tête inclinée en arrière, le regard perdu dans la nuit lumineuse, et il se balançait doucement, plongé dans une rêverie d'outre-monde, tandis que sa bouche balbutiait des mots inintelligibles.

Il était là, et en même temps absent, et j'étais le témoin de sa transe autiste. Pendant un long moment, sachant qu'il ne me voyait pas, j'ai pu l'observer à loisir pour m'assurer de la réalité de son invraisemblable beauté.

L'aile de corbeau de ses cheveux drus ; ses yeux rêveurs de la couleur et de la densité du pétrole ; la palpitation mélancolique de ses cils noirs ; son nez droit, ses lèvres pleines et féminines d'où jaillissaient, comme une buée, les étranges syllabes de son mantra hypnotique ; son corps démesuré, celui d'un David de Michel-Ange sculpté dans le marbre noir, placidement abandonné à la puissante colonne de lumière qui le connectait à l'espace sidéral.

« Tu me vois ? Tu m'entends ? » lui ai-je demandé en haussant la voix, sans parvenir à rompre son isolement.

Je me suis assise près de lui et il est demeuré impassible, de l'autre côté du miroir, divin et inaccessible comme un saint dans sa niche, comme un acteur de cinéma sur l'écran. Je le contemplais avec ravissement dans sa rayonnante perfection, lorsque soudain j'ai cru remarquer un éclair de cruauté dans ses pupilles absentes. Ce fut une ombre d'absolu égoïsme qui passa sur son visage et me fit tressaillir, avant de refluer, rendant ses traits à la pure lumière, à la paix parfaite.

J'ai voulu le toucher. J'ai avancé ma main lentement, sans mouvements brusques, comme on le fait avec un animal sauvage ou pour caresser un chien craintif sans se faire mordre. J'ai effleuré sa peau et l'ai trouvée brûlante. « La fièvre le dévore », me suis-je dit.

J'ai découvert une à une toutes ses cicatrices. Sur la cuisse, un sillon long et sombre comme une cordillère ; une ligne brisée qui partageait en deux son sourcil droit ; une autre en biais sur l'abdomen à la hauteur de l'appendice ; une petite carte en relief sur la poitrine ; une étoile irrégulière sur la mâchoire ; sur l'avant-bras la marque caractéristique du vaccin contre la variole ; sur la cheville un bobo récent dont la croûte n'était pas encore tombée. Toutes ces plaies révélaient que l'ange avait connu les douleurs de ce monde. Qui lui avait fait ces blessures ? Qui l'avait désinfecté ? Qui l'avait recousu ?

«Qui t'a haï, mon ange ? Qui t'a aimé ?» Mais sa bouche restait aussi fermée que les cicatrices de son corps.

Je ne sais pas comment j'ai réussi à me souvenir de *Somos*, de l'article, des photos. J'ai pris mon appareil, j'ai visé, j'ai appuyé. Sous l'effet de surprise du flash, l'ange s'est convulsé comme s'il avait reçu un coup. Il s'est caché le visage dans le bras et je l'ai senti reprendre contact avec la réalité, comme un oiseau blessé en plein vol, un astronaute amerrissant sur les eaux glacées de l'océan. Puis il m'a regardée sans comprendre, il s'est levé et a commencé à reculer, torve et cauteleux comme un fauve qui déjoue le piège du chasseur.

Que faire ? Il était immense, bien plus grand que moi, et il remplissait de façon angoissante tout l'espace du patio, comme un aigle enfermé dans une cage de canari. J'ai eu peur de ses réactions, je me suis sentie traquée et sans défense, j'ai voulu fuir. Puis j'ai compris qu'il avait davantage peur de moi que moi de lui, et j'ai repris mon contrôle.

Il fallait me calmer, le calmer, tenter d'entrer en communication avec lui maintenant qu'il était réveillé et qu'il me voyait.

On approche un animal effrayé avec un morceau de pain et c'est, assez stupidement, la seule tentative qui me soit venue à l'esprit. J'ai pris l'une des oranges que j'avais apportées, et je la lui ai lancée.

Ça a marché. Ses réflexes se sont réveillés et il a attrapé le fruit. Pendant un instant il m'a oubliée pour s'occuper de cet objet rond et brillant qui lui était échu. Il l'a examiné soigneusement et, devant mes yeux incrédules, il a souri. C'était un chaud sourire qui en un instant a fait fondre des années-lumière de distance, un pont inespéré et magique qui permettait d'établir un contact.

Le jeune homme a répété mon geste : il m'a renvoyé l'orange, je l'ai attrapée et j'ai ri, et lui aussi riait, d'un rire d'enfant en cascade, comme seuls en possèdent les anges heureux. Pendant un ou deux siècles nous nous sommes livrés à ce sport inédit, sous la lumière intemporelle de la lune, jusqu'au moment où j'ai caché l'orange derrière mon dos, réussissant à le faire s'approcher, intrigué, pour la chercher. J'ai épluché l'orange, et une fois pelée je lui ai dit « Mange », et il voulait que je la lui donne, mais sans oser la prendre. J'ai séparé un quartier et je me le suis mis dans la bouche : il me regardait faire. J'en ai pris un autre et je l'ai approché de sa bouche.

Cette nuit-là, il a mangé dans ma main fruit après fruit, quartier après quartier. Le bout de mes doigts a connu la chaleur de sa langue, et conserve encore la mémoire de sa salive.

Les vêtements que je lui avais apportés, bien qu'extra-larges, étaient ridiculement courts et étroits. Lorsqu'il s'est fatigué des oranges, il s'est remis à fredonner des mots étranges et il s'est amusé à jouer avec mes cheveux, cette spectaculaire masse de cheveux, dorée comme de la fausse monnaie et longue comme un voile de vierge qui l'attirait et le fascinait, à l'instar de tous les pauvres dont, en fin de compte, mon ange déshérité et nu était partie intégrante.

L'aube blanchissait dans l'espace ouvert sur le ciel, et soudain je me suis souvenue d'Ara qui m'attendait sans dormir. Mon Dieu ! comment était-ce possible ? J'avais tout oublié, elle, moi et le reste. Pendant des heures je n'avais eu d'yeux et de cœur que pour lui, ma créature mythologique, mon bel animal des galaxies. Mon archange de Galilée.

Dans mon extase, je m'étais perdue avec lui dans l'irréalité de ses rêves, nous avions volé ensemble loin de ce patio, vers l'univers infini de son détachement. À présent, contre mon gré, je devais rentrer.

À peine avais-je ouvert la porte que je me suis sentie déchirée. Ce simple geste m'avait brutalement séparée de lui, rompant un fil ténu que je ne pourrais peut-être plus renouer. J'ai voulu faire marche arrière, mais il était trop tard.

D'un seul coup, l'ange s'était à nouveau muré dans son hermétisme de statue et, à nouveau, ses yeux qui me regardaient ne me voyaient plus.

Femme qui t'approches de moi, ne cherche pas à savoir comment je me nomme. Pour toi je suis l'Ange-Sans-Nom : je ne puis te le dire, tu ne pourrais le prononcer.

Je savais que tu viendrais d'en bas, il était écrit que la ville t'enverrait à moi, et je t'attendais. Avec l'avidité de la terre qui dans ses ténèbres pressent et espère la clarté salvatrice du soleil, ainsi je t'ai attendue. Et maintenant que tu es là, je ne te connais pas.

Je veux m'approcher de toi, je tends la main pour te toucher. Mais ta peau est une flamme et elle me brûle, je ne peux supporter la très intense douleur du toucher. Ne me parle pas, ne me regarde pas. Tes paroles m'étourdissent et ton regard blesse intolérablement mes yeux.

Mais ne t'éloigne pas. Trop de proximité m'étouffe, trop de distance me tue. Je vois flotter ta chevelure de l'autre côté du miroir, la masse de tes cheveux qui ondulent et emplissent l'espace de cet autre côté qui est tien. Ton corps incompréhensible m'effraie, je fuis tes mains qui veulent me saisir, mais le brouillard doré de ta chevelure avec douceur m'appelle et m'invite à sortir du froid pour entrer dans la danse de sa fête blonde. Tes cheveux ne m'effraient pas car ils sont excroissance, ils sont à l'extérieur de toi, ils ne t'appartiennent pas, ils m'accompagnent sans s'emparer de moi, ils me frôlent sans

71

me brûler. Je touche tes cheveux et je n'en ressens pas de douleur.

N'essaie pas de savoir comment je me nomme. Peut-être n'ai-je pas de nom, ou si j'en ai un, il est multiple et changeant. Mon nom, mes noms : fuyants, équivoques, chargés de résonances. Il n'y a dans ton monde aucune oreille qui soit capable d'en percevoir la fréquence, aucun tympan qui puisse résister à son écho.

Ne me parle pas : tes mots sont bruit. Ils m'atteignent par fragments, ce sont des bris de verre tranchant. Ils me blessent jusqu'au sang et ils ne me disent rien.

N'essaie pas de m'aimer : ton amour me détruit.

Ne me demande pas de t'aimer : je ne suis pas d'ici, je ne suis pas ici, j'essaie de venir et ne le peux.

Ta présence me tourmente : elle est trop lourde. Son poids brise mes ailes et déchaîne mes craintes.

Ta chevelure, en revanche, me rend heureux, en elle je fais mon nid. Ses mèches solaires me chatouillent et me font rire. Ne t'éloigne pas. Ne me touche pas, ne t'approche pas tant, mais ne t'en va pas. Aie pour moi une patience infinie, car infini est le nombre de jours où je t'ai attendue.

Accueille-moi dans ta chevelure, manteau laineux, cavalcade de brebis sur les prairies ensoleillées. Sauve-moi de cette existence ambiguë, de cette confusion de l'air. Nettoie cette substance trouble, faite d'éloignement et de silence, qui colle à mes sens et les obscurcit, qui pénètre mes entrailles et m'étouffe. Que ce soit la source tiède de tes cheveux qui me protège, et non les ombres.

III

Élohim, ange déchu

C'est tout ce qui s'est passé cette nuit-là dans le patio. Certains diront que c'est bien peu, mais ceux-là parlent sans savoir, car ils ne se sont jamais trouvés près d'un ange qui chante pour eux en araméen tout en leur caressant les cheveux.

En rentrant dans la maison je n'ai pas trouvé doña Ara : voyant qu'il était inutile de m'attendre, elle était allée se coucher.

Je me suis allongée tout habillée, épuisée et frissonnante, en pensant que j'allais me reposer un petit moment, mais j'ai dormi jusque tard dans la matinée.

En me réveillant j'ai voulu me lever, mais le souvenir de l'ange m'a rejetée en arrière, comme une grande vague qui vous plaque sur le rivage. J'ai été surprise de me voir écrasée de la sorte par cette insolite passion pour l'anonyme garçon du patio de derrière.

Mes collègues m'ont toujours accusée de manquer de professionnalisme à cause de mon incapacité à rester objective et distante face à mes sujets. On m'a envoyée une fois faire un reportage de huit jours sur le conflit entre sandinistes et contras et, pour finir, je suis restée au Nicaragua, engagée jusqu'au cou dans la guérilla, du côté sandiniste. J'ai couvert la tragédie du volcan d'Armero pour le journal télévisé et, avant de m'en rendre compte, j'avais adopté l'un des sinistrés, une vieille femme qui avait tout perdu, y compris la mémoire, et qui depuis vit chez moi, persuadée d'être ma tante. Aujourd'hui je donnais une fois de plus raison à mes collègues, et ce coup-ci de manière pathétique : on m'avait envoyée à la recherche d'un ange, j'avais réussi à le trouver, et en plus j'étais tombée amoureuse de lui.

Je suis sortie de la chambre et je n'ai pas eu besoin de voir le patio vide pour savoir qu'il n'y était plus ; il y avait une fadeur de l'air qui dénonçait son absence. Mon intention était d'aller saluer Ara et de redescendre en ville pour porter à *Somos* les photos de la veille — tout particulièrement la seule que j'avais réussi à prendre de lui — et d'écrire un premier article sur l'un des antiques ordinateurs de la salle de rédaction. Je reviendrais à Galilée vers midi pour poursuivre mes investigations. Maintenant que l'ange était à moi, il fallait que je sache une fois pour toutes qui il était, d'où il venait, et avant tout où il allait.

Je n'ai pas pu partir aussi vite que je le voulais, parce que j'ai trouvé la maison bouleversée par un conflit interne, une guerre ouverte entre doña Ara et sœur Marie-Crucifix, qui se remarquait aux lèvres serrées de la première et à la manière bruyante dont la seconde tapait sur les meubles et tout ce qui passait à portée de sa main.

« C'est ma faute, ai-je pensé. Elles sont au courant de ma nuit avec l'ange et elles sont fâchées. » Un comportement typique chez moi : dès que je tombe amoureuse, je suis assaillie par la culpabilité et la manie de demander pardon. Cependant, lorsque doña Ara s'est approchée de moi pour me servir le petit déjeuner et que je l'ai interrogée des yeux pour savoir de quoi il retournait, elle m'a caressé la tête comme pour me dire de ne pas m'en faire, que le problème ne me concernait pas.

Par certains mots pointus lancés çà et là par Crucifix,

j'ai pu comprendre le vrai motif de la discorde. La nuit précédente, tandis que les gens de Paradis attendaient à l'extérieur, Crucifix avait, semble-t-il, fait quelque chose d'impardonnable : lassée d'attendre le bon vouloir de l'ange, elle avait utilisé une corde pour l'attraper et le faire sortir. À présent, tandis que je mangeais des œufs brouillés aux oignons et à la tomate, sœur Crucifix niait toute responsabilité et la rejetait sur Ara.

« Vous lui passez tout, criait la sœur, et tout ce que vous y gagnez, c'est que ce garçon fait l'imbécile. Qu'il ne veut pas comprendre que lui aussi a des responsabilités...

— Ne maltraitez pas mon enfant », répétait Ara, la voix brouillée de rancune.

Crucifix s'est absentée un moment et doña Ara en a profité pour me dire, les yeux pleins de larmes : « Ah ! Mona. Cette nuit, comme vous l'avez fait rire. Merci Monita, vous avez réveillé mon fils, et vous l'avez rendu heureux !

— Ne chantons pas encore victoire, Ara », l'ai-je prévenue.

Le conflit interne s'est mué en malentendu passager devant l'afflux de mauvaises nouvelles apportées de l'extérieur par Marujita de Peláez qui, décomposée, nous a informées qu'une guerre à mort avait été déclarée en chaire, ce matin à six heures, par le père Benito contre sœur Marie-Crucifix. Il lui avait mis publiquement le dos au mur, lui intimant l'ordre, si elle n'était pas religieuse, de cesser d'agir comme si elle l'était et, si elle l'était, de quitter le quartier et de s'enfermer dans un cloître. Les paroissiens surexcités étaient sortis de la messe en criant : « La nonne au couvent ! » bien décidés à l'y traîner, fût-ce par la peau des fesses.

Il apparaissait que, alarmé par l'importance de la manifestation dissidente d'hier soir, le père Benito avait décidé de changer de stratégie offensive. Jusqu'à présent, sa campagne avait été quelque peu anarchique, un coup contre l'ange, en alléguant son identité usurpée, un coup contre doña Ara, coupable d'être sa génitrice. Mais Ara était trop seule et trop à plaindre pour rassembler sur sa personne une opposition combative, et quant à l'ange, le père Benito était sur ses gardes. S'il n'avalait pas la fable de l'ange, il était en revanche persuadé d'avoir affaire à un démon et il en avait une telle panique que, même s'il le dénonçait en termes violents, il ne se serait jamais risqué à prendre contre lui des mesures concrètes.

Sœur Crucifix, en revanche, était à la fois une ennemie plus vulnérable et celle qu'il était le plus urgent de maîtriser, car elle était devenue la papesse noire qui mettait en échec l'autorité spirituelle du père Benito en rassemblant des armées de croyants qui ignoraient tout de la proscription des anges imposée par l'Église officielle. C'était une hérésie qui se répandait et faisait des adeptes et, un comble, elle était dirigée par une femme.

Crucifix, Marujita, Sweet Baby et le reste du comité ont décrété l'état d'urgence et se sont enfermées pour délibérer, ce qui m'a permis de converser tranquillement avec doña Ara.

Je n'avais qu'une envie, lui parler de son fils, mais sur ce terrain nous avons peu avancé. Quand je lui demandais si, enfant, il ne s'était pas donné un coup sur la tête, ou que je suggérais quelques problèmes d'ordre mental, elle faisait la sourde oreille et, devant ces douloureuses hypothèses, elle se renfermait, arguant pauvrement que son fils était un ange.

«Bien sûr que c'est un ange, la rassurais-je. Mais vous reconnaissez vous-même qu'il serait bon de le "réveiller". Que c'est un garçon bizarre, voire anormal…

« — Qui a dit que les anges doivent être normaux ? »
coupait-elle. Et la discussion s'arrêtait là.

En revanche, nous avons pu papoter à loisir de sœur
Marie-Crucifix.

L'histoire de son leadership ne datait pas d'hier ; il
remontait bien avant que l'ange, dont elle assurait le
culte, ne soit réapparu.

Historiquement, le charisme de Crucifix prenait sa
source dans le fait qu'elle avait survécu aux flammes. Son
pouvoir surnaturel avait été rendu patent lors de l'incendie de 1965, lorsque Galilée n'était pas encore le quartier
populaire qu'il est devenu, mais un lieu escarpé dont
l'unique occupant était un couvent fantasmagorique qui
ensevelissait trente-quatre religieuses cloîtrées.

Ses murs étaient si hauts et ses portes si hermétiques
que le monde extérieur suspectait qu'il n'était plus habité
par des vivantes, mais par des esprits. Cette croyance
était étayée tous les jours, à l'aube et à l'angélus, par des
chants surnaturels et subtils, comme des mélopées de
sirènes, qui s'échappaient par les interstices et s'envo-
laient au vent, commotionnant les rares habitants des
alentours. Mais la théorie de l'immatérialité des trente-
quatre nonnes était chaque fois démentie par les eaux
noires que déversaient les canalisations, toutes chargées
d'excréments très matériels et très humains.

Pendant le fameux incendie, dont personne n'a jamais
pu savoir comment il commença, et qui ne s'arrêta que
lorsqu'il eut dévoré même les pierres, trente-trois sœurs
périrent calcinées, ainsi que tous les animaux des étables
et des basses-cours, les géraniums en pot, les légumes du
potager, et même les colombes si bien nourries et si
grasses qu'elles ne purent s'envoler.

Le seul être qui put échapper à cet enfer fut la plus
jeune des novices, une orpheline ingrate et rebelle qui

n'avait pas encore prononcé ses vœux, mais à qui on avait déjà donné le nom initiatique de Marie-Crucifix.

Elle-même ne mentionnait jamais les faits, mais selon la légende, les curieux qui assistèrent au désastre la virent sortir miraculeusement des flammes, indemne, sauf en ce qui concernait ses sourcils et ses cils qui n'avaient jamais repoussé et dont l'absence avait imprimé sur son visage cet air impersonnel et effrayant de Martien ou de ver blanc.

Personne ne savait qui était réellement Marie-Crucifix, mais tout le monde savait bien qui elle n'était pas.

D'abord, on ne pouvait affirmer qu'elle fût femme. Elle appartenait peut-être à un troisième sexe, le sexe de ceux qui ont renoncé au sexe.

Elle n'était pas nonne, mais ascète par libre choix. Elle avait fait vœu de chasteté, et aussi de pauvreté, ce qui ne comptait pas, étant donné que les autres habitants de Galilée étaient pauvres comme des rats, sans avoir eu besoin d'en faire le vœu.

Sœur Marie-Crucifix était intacte, non seulement dans le sens symbolique de sa virginité, mais dans celui, strictement littéral, qu'aucun homme, jamais, n'avait posé la main sur elle. Son aversion pour la chair était telle qu'elle avait réussi à l'éliminer de son propre corps : sa maigreur anorexique en faisait un être désincarné, un pur paquet spirituel d'os recouverts de peau.

Elle ne se permettait aucune tache de couleur dans sa tenue, mais son deuil n'était pas dû à la mort d'un parent ou d'un être cher car elle n'en avait jamais connu ; c'était plutôt un acte de contrition qu'elle s'imposait, au nom des femmes responsables du péché originel.

Cette vie de renoncements avait du bon et du moins bon. Son avantage : elle lui conférait, bien qu'elle ne fût pas un homme, un énorme pouvoir sur le quartier. Son désavantage : elle était devenue un défi à l'ordre naturel des choses et en conséquence la cible de toutes les attaques. Ce matin, par exemple, le père Benito l'avait rendue coupable dans son sermon — elle et sa créature, l'ange — du fléau des pluies qui menaçaient d'engloutir Galilée, de sept cas d'hépatite enregistrés le mois précédent, et même de la naissance d'un poulet à deux têtes, phénomène qui avait beaucoup troublé le voisinage.

Ara a interrompu son récit pour préparer un plateau-repas et elle m'a quittée pour aller nourrir l'ange.

« Qu'est-ce qu'il mange ? lui ai-je demandé.

— Du pain. Le pain des anges. »

J'avais envie d'aller avec elle pour le voir et lui donner de ma main quelques miettes, mais le sentiment du devoir a été le plus fort. Nous nous sommes donc dit au revoir et j'allais descendre en ville lorsque les conjurées ont levé la séance et m'ont barré le chemin. Je ne devais aller nulle part, m'a informée Crucifix : on avait d'autres plans pour moi.

« Il faut que vous vous laissiez laver les cheveux, a-t-elle déclaré avec solennité. De préférence avec de la camomille, pour les éclaircir. C'est la fin du monde, il faut se remuer !

— Si c'est la fin du monde, pourquoi est-ce que je me laverais les cheveux ? D'ailleurs, me suis-je défendue, ils sont propres. »

Elle m'a saisi une mèche pour l'examiner : « Vous avez des fourches. »

Son diagnostic établi, et sans plus de formalités, elle s'est mise à transvaser des marmites d'eau bouillante qui m'étaient destinées. Comme je n'avais nul besoin qu'on s'occupe de mes fourches, j'ai laissé de l'argent sur la table — et quelques pesos de plus — pour rembourser les repas et j'ai réussi à m'esquiver.

Derrière moi, sœur Marie-Crucifix a dévalé la rue et m'a rattrapée.

«Où croyez-vous aller? a-t-elle crié. Vous ne pouvez pas partir!

— Et pourquoi pas?

— Parce que nous dépendons de vous.

— Ne vous énervez pas. Je vais revenir.

— Quand vous reviendrez, il sera trop tard.

— Trop tard pour qui?

— Pour l'ange. Pour tout le monde. Pour le genre humain. Même pour vous…

— Je regrette, mais je dois rendre mon article.

— Écoutez, si vous voulez, ne vous lavez pas la tête. Tout ce que vous aurez à faire, c'est de porter un message à l'ange, parce que vous, il vous écoute.»

C'était la phrase magique. Elle l'a dite et je me suis déclarée vaincue : si c'était pour voir l'ange, je resterais. Je laverais même, s'il le fallait, ces cheveux qu'il aimait tant. C'est ainsi que j'ai accédé à la supplique de Crucifix, à la condition que je puisse disposer d'une heure pour écrire mon reportage et qu'on me trouve un coursier pour l'acheminer.

Et c'est ainsi que les choses arrivèrent et que ce jour-là, mon deuxième à Galilée, doña Ara et Marujita de Peláez, à grand renfort d'eau chaude et d'extrait de camomille, d'un antique séchoir du type casque de cosmonaute et de deux brosses Fuller, m'ont installée dans le patio et se sont escrimées sur ma chevelure jusqu'à la rendre étincelante.

Pas à pas, de petits riens en petits riens, on parvient au but. Personne, bien entendu, n'attache la moindre importance à un shampooing. À moins qu'il ne fasse partie du début d'un rituel.

Entends-tu la rumeur ? Sens-tu le frémissement ?

Chut... N'aie pas peur. C'est moi qui approche, moi Gabriel, archange des Annonciations. Je suis descendu t'annoncer la bonne nouvelle. Tu ne me connais pas ? Regarde bien, on ne peut me confondre. Aucun autre n'a comme moi le corps couvert d'un duvet safran, ni les ailes de topaze verte, ni le soleil qui brille au milieu des yeux. C'est moi, Gabriel, qui sais un million de langues... Écoute-les te chuchoter à l'oreille mon message.

Chut ! cries-tu en m'effrayant comme si j'étais un chat, et je me cache derrière l'armoire, et j'y demeure pendant des heures, tapi dans la pénombre, en attendant que tu te calmes, ou que tu t'assoupisses.

Chut ! cries-tu encore une fois si j'essaie d'approcher. Tais-toi, femme, ne sois pas brusque. Ne révèle pas ma présence. Tu ne sais pas ce qu'il en coûte d'être venu te voir ! Je frémis à la pensée de la mise en garde divine qui retentit encore dans les airs. Elle fut proférée le jour même de la création, et de toutes les choses défendues, celle-là est ce que Dieu punit avec la plus grande rigueur. Il n'y a ni ange ni archange, ni trône ni domination, vertu ou puissance qui ne connaisse les conséquences de sa Très-Grande colère.

Ainsi l'a dit Yahvé en expulsant Satan : « L'ange qui

ose descendre sur terre pour s'unir avec une femme perdra la vie éternelle!»

Nous les anges qui l'écoutions, nous en avons conçu de l'effroi et un désir d'obéissance, et pendant des siècles nous sommes restés chastes. Mais vint le jour où il fut donné à quelques-uns de voir de près les filles des hommes, de constater leur beauté, la douceur de leurs manières, et sans pouvoir résister à la tentation, ils descendirent sur terre, cherchèrent des femmes et les firent leurs.

Le Seigneur, qui sait tout, apprit aussi cela. Alors les cieux s'enflammèrent de sa fureur et sur les sept univers tonna la terrible imprécation: «Vous les anges, saints et purs esprits, doués de vie éternelle, vous vous êtes salis du sang des femmes et vous avez engendré par le sang de la chair; vous avez désiré selon le sang des hommes, et vous vous êtes faits chair et sang comme ceux qui périssent.»

Parmi les anges déchus, il y eut Harut et Marut, splendides et vigoureux, favoris du Seigneur, qui échangèrent l'éternité contre l'amour labile d'une femme, et ainsi fit Luzbel qui avait parfaite connaissance de ce qu'il perdait, mais aussi de ce qu'il gagnait.

Le châtiment pour eux, et pour les deux cents autres qui prirent femme, fut la relégation éternelle dans des cavernes profondes, car leur péché était contre nature, c'est-à-dire contraire à la nature des anges qui est pure et sans tache, et n'a pas besoin d'union charnelle pour sa perpétuation.

Mais plus épouvantable encore fut le châtiment que reçurent les femmes qui les séduisirent, parce que le Seigneur s'irrita contre elles et en rejeta sur elles la faute, et Il les condamna à être abhorrées comme des prostituées, nues, abandonnées et enchaînées jusqu'au jour de la consommation de leur péché, en l'année du mystère.

Depuis lors, on sait la méfiance que manifeste le Seigneur envers les femmes, source d'impureté et de péché, et il est de Sa volonté que la principale condition pour garder leur vertu est que les anges du ciel comme les mâles de la terre s'en tiennent éloignés. Car il est plus facile à un chameau d'entrer par le trou d'une aiguille qu'à une femme d'entrer dans le royaume des cieux, à moins qu'elle ne soit mère ou vierge, et la plus grande de toutes, celle qui occupe le Trône à côté du Fils, sera par miracle vierge et mère, les deux à la fois. Celle qui ne sera que femme n'aura point de pardon, car elle est tenue pour immonde, son sang est contaminé, et son corps tout entier noirceur. Le prophète l'a bien dit : «Il te faudra être femme pour savoir ce que signifie vivre dans le mépris de Dieu.»

Pauvre de moi, Gabriel, le messager! L'archange rouge comme les braises, tondu comme un agneau! Hier encore je jouais de la cithare, innocent et aveuglé par la splendeur de Dieu. Aujourd'hui je t'ai vue et je t'ai trouvée belle, et je t'ai trouvée bonne, et saine, et lumineuse. Le désir m'étreint de plus de bras que la faute, et ma volonté suprême est de faire de toi ma femme.

Je sais que nulle larme ne pourra racheter ce péché. Que pour châtiment, je devrai perdre mon nom et prendre celui d'Élohim, qui veut dire Déchu-Car-Il-a-Péché-Avec-une-Femme-Entraînant-L'Humanité-à-Sa-Corruption-et-le-Monde-Entier-au-Déluge. Et cependant me voici, et je ne faillis pas. Je m'approche de toi petit à petit, continuant d'être Gabriel bien que mon nom soit Élohim. Entends, femme, mon message ; ce sont des paroles d'amour.

Ma décision est prise. Moi, Gabriel Élohim, fils des

cieux, je me fondrai en toi, fille des hommes, comme un vin se mêle à un autre dans une même outre.

Ne t'enfuis pas, ne me crains pas. Viens avec moi dans les entrailles de la caverne où jaillissent les sources d'eau claire, où se répand l'odeur du nard, du fruit de l'aloès, du poivre et de la cannelle. Là nous serons à l'abri de l'inclément regard de Dieu. Là je te ferai mienne, toi la bien-aimée, la bénie, l'unique, et en toi je déposerai ma semence.

L'un dans l'autre nous connaîtrons le bonheur de vivre et aussi le bonheur, pour moi inconnu, de mourir ; nous traverserons ensemble des épiphanies et des ténèbres, nous monterons à la cime et nous descendrons dans l'abîme, et je serai heureux parce que enfin je pourrai comprendre que tout ce qui est vrai a un commencement, et finit et meurt lorsqu'il n'a plus de raison d'être.

À l'orée du monde je m'assoirai pour te contempler, femme, et j'en éprouverai de la honte, et je me couvrirai les yeux de mes ailes devant la beauté de ton visage. Je te regarderai et je serai plein de toi, car celui qui regarde est rempli de celui qu'il regarde.

Ta main me guidera dans les méandres du monde des sens, celui que Dieu a défendu à ses anges de connaître. Par toi, seront miens l'odorat, la vue, l'ouïe, le toucher, l'amour charnel qui sont prérogatives humaines. Seront miens pour un temps, le plaisir et la douleur, le froid, le cinnamome et les parfums, miens la mémoire et l'oubli, miens le pain, le vin, l'huile, la maladie et la santé. Par toi je connaîtrai la clé des sciences et des arts, je saurai l'agriculture, la métallurgie, la poésie, l'alphabet, les nombres, l'art de teindre les tissus et celui de se farder les yeux avec de l'antimoine. Jouir de tout ceci est un privilège qu'on paye de sa mort, et je suis disposé à payer.

En contrepartie, j'ouvrirai les portes de ton temple

intérieur et je permettrai que tes yeux voient le mystère. Le mystère ineffable, que Dieu n'a voulu rendre accessible qu'à ses prêtres et à ses hiérophantes. Je le déposerai entre tes mains, femme. Voici venu le moment, pour toi aussi, de connaître les arcanes. Tu voleras sur mon dos et il te sera donné de voir les fondations de l'univers, la pierre angulaire de la terre, les quatre colonnes du ciel, les secrets du temps qui devient espace et peut se parcourir vers l'aval et vers l'amont. Les cachettes du vent, les plaines où paissent les nuages, les réservoirs de grains, les immenses citernes où attend la pluie.

Après l'union viendra le temps de la reproduction.

Sais-tu, femme, comment se reproduisent les anges ? Les saints docteurs ne s'accordent pas sur ce point. Certains pensent que c'est en se désintégrant, comme le mercure. Ou comme un miroir qui, en se brisant, s'éparpille en fragments qui se reflètent les uns les autres. Saint Thomas, docteur angélique, prétend que nous nous reproduisons comme les mouches. Cela importe peu, car à l'heure dite, tout sera comme il doit être.

Quand viendra le jour, les signes en seront dessinés dans le ciel, et nous les interpréterons car ils seront clairs, et nous saurons que par notre œuvre va s'accomplir la prophétie, car il est écrit que lorsque les anges du ciel descendront sur terre, leur race n'en formera qu'une avec les filles des hommes.

Mais avant que ceci ne s'accomplisse, viendra pour nous le temps de nous séparer. Tu entendras ces paroles : « Je te salue, femme, nous sommes pleins de grâce, je fus avec toi, et tu fus en moi. » Par ces mots tu reconnaîtras ma voix, et dans ma voix l'adieu, et tu pleureras, car je serai parti.

Et maintenant, entends-tu la rumeur ? Sens-tu le frémissement ? Chut… Reste tranquille, femme, garde le silence, ne crie pas, n'alerte pas les gens de ta maison. N'aie pas peur, je ne veux te causer ni effroi ni stupeur, je ne suis qu'un ange déchu. Laisse ta porte ouverte, c'est moi, Élohim, qui brûle d'amour.

Je savais que j'allais le voir, et ma poitrine se gonflait d'un désir fou que je n'avais encore jamais ressenti et que probablement je ne ressentirai plus jamais de cette manière. Que dire de plus de cette matinée, la plus belle de ma vie, sinon qu'un soleil nouveau-né inondait le patio, que l'eau du robinet gazouillait et que l'air résonnait de la joie des femmes occupées à leur besogne.

J'ai laissé Ara et Marujita faire et défaire ma coiffure et me préparer comme elles en avaient envie, et pendant tout ce temps, je ne pensais qu'à lui. Je ne sais pas à quelle heure elles ont troqué mes vêtements contre une tunique bleue, de vierge ou de folle, comme on voudra, et m'ont juchée sur un brancard comme une statue pour la procession de la semaine sainte. Je ne sais pas à quelle heure toutes ces choses sont arrivées et je ne m'en souciais pas le moins du monde, j'étais en tout leur complice enthousiaste et inconditionnelle. Lorsque j'ai retrouvé mes esprits, nous étions déjà dans la rue, les gens arrivaient et se groupaient autour de moi parce que, selon toute apparence, le centre d'intérêt, c'était moi.

J'ai regardé si quelqu'un d'autre portait la même tunique que moi, mais non, j'étais la seule à être déguisée, ce qui m'a un peu refroidie. J'ai cherché des yeux Orlando. Où pouvait bien être Orlando, mon interprète, mon guide ? Où se cachait-il et pourquoi ne venait-il pas à mon secours maintenant que j'étais devenue la star de ce tohu-bohu ? Ara m'a dit qu'il étudiait, que le matin l'enfant allait à l'école.

Les événements m'avaient, en fait, menée trop loin pour que je puisse revenir en arrière. Les membres du comité m'ont enfoncé une couronne de fleurs sur la tête et un bouquet dans la main, ils ont déployé mes cheveux comme un voile et ont jeté sur mes épaules, voyante et électrique, la cape bleue de Marujita de Peláez.

Sweet Baby Killer et trois malabars ont soulevé le brancard, et moi, pour ne pas tomber, j'ai dû me débarrasser du bouquet et agripper la barre d'appui, et c'est à dos d'homme que j'ai commencé à me déplacer au-dessus des têtes, comme une reine de beauté dans un défilé de chars.

L'essaim humain tourbillonnait autour de moi, cette fois composé majoritairement de femmes et de nourrissons. Sœur Crucifix, qui voulait mettre de l'ordre, se battait pour les mettre en rang et leur distribuait des feuilles polycopiées portant les paroles des cantiques.

Nous avons descendu le versant de la ville basse, et à notre passage d'autres fidèles sortaient de chez eux pour nous suivre. Me suivre moi, statue vivante en tête du cortège. Mes quatre porteurs patinaient dans la boue encore fraîche, la litière penchait dangereusement et j'étais comme sur des montagnes russes, me tenant à deux mains pour ne pas me retrouver par terre. Les dévots me fixaient avec amour et adoration et, tout ceci me semblant excessif, l'envoûtement s'est quelque peu dissipé et j'ai voulu en finir avec cette folie, ce que j'aurais fait si, à ce moment précis, il n'était arrivé.

On le portait aussi sur un brancard, un autre groupe,

une autre procession, nous en contrebas, l'ange et sa suite en haut de la rue, et la jonction eut lieu à mi-chemin. Il était enveloppé d'un tissu blanc et ample qui ondulait au vent comme un pallium triomphal et laissait entrevoir ses bras vigoureux et la peau sombre de sa poitrine et de son épaule.

Il souriait, glorieux comme un ressuscité, comme un croisé foulant la terre maure, et au milieu de la horde de chevaux qui s'emballait en moi, je l'ai vu imposant et immense, invincible et céleste. Je jure que ce jour-là l'ange était aérien. Je jure qu'il est passé près de moi en dispensant sa force et en répandant sa grâce. Je jure que sa chevelure rayonnait d'éclat, et que ses yeux étaient des flammes. En le voyant ainsi, dans le plein déploiement de sa gloire, j'ai compris le secret de son apparence : tout dans son aspect était humain mais il était fait de lumière, non de la poussière de la terre.

En sa présence le chaos devenait signifiant. La superstition se changeait en rite, le grotesque devenait sacré. Comme si j'avais reçu un ordre, comme une particule de métal attirée par l'aimant, je me suis laissé entraîner à sa suite, anonyme, abandonnée, une parmi la foule des mortels, sans me poser de questions ni opposer de résistance.

Guidé par des enfants qui balançaient des encensoirs, le fleuve humain a quitté le village pour s'engager dans le hallier de la montagne, en nous portant tous deux sur nos palanquins, lui devant, splendide, moi derrière, en extase.

L'ange aussi fut couronné de fleurs et il se laissa faire, magnanime et confiant. La procession trébuchait, les buissons d'épineux s'enchevêtraient, les fougères devenaient géantes, les mûriers sauvages étaient arrachés, le ciel venait à nous et la ville, très en dessous, devenait irréelle. Où nous emmenait-on, si loin, si haut ? Peu m'importait, pourvu que ce fût avec lui.

Je ne sais si je dois raconter la suite, parce que je doute de pouvoir la rendre compréhensible. Cela semblera pour le moins absurde, insensé, alors que ce ne fut pas du tout le cas. Au contraire. Aujourd'hui, tant d'années après, j'ai la certitude que cet acte fut le plus sage, le plus raisonnable de ma vie.

Après être montés jusqu'à une croix fichée en haut du mont et y avoir déposé des offrandes, nous sommes redescendus jusqu'à la cave de la veille, celle qu'on appelait grottes de Béthel, là où je l'avais vu pour la première fois. Face à l'entrée, sœur Marie-Crucifix a fait stopper la procession et, montée sur un rocher, elle s'est lancée dans un sermon qui parlait de la fin du monde, de la nécessité de l'accouplement, de nos heures qui étaient comptées, de la grande mission des habitants de Galilée sur les épaules desquels le ciel avait décidé que reposerait la responsabilité de la gestation du nouvel ange, celui qui devrait descendre sur terre pour remplacer son prédécesseur, afin de ne pas interrompre la chaîne qui nous venait de Jésus.

Jusque-là, la cérémonie avait été des plus bizarres mais le pire était encore à venir. Sœur Crucifix s'est emparée d'un *tiple* désaccordé qu'on lui avait passé, et d'une voix de nonne effarouchée elle a commencé à chanter ni plus ni moins que la fameuse marche nuptiale paysanne : « Blanche et radieuse va la fiancée / Son fiancé aimant marche derrière… », en martelant exagérément les syllabes graves et en introduisant quelques modifications dans le texte pour le rendre d'inspiration moins païenne. La foule l'accompagnait avec des battements de mains et des tambourins, et même une paire de maracas agitées à contretemps. Un concert dissonant que chacun interprétait à sa manière et qui évoquait plutôt un hymne satanique.

Certains s'embrassaient, bouleversés, et j'ai vu pleurer d'émotion Marujita et Sweet Baby Killer. Et moi ? Est-ce que je comprenais ce que ça voulait dire et quel était le rôle qu'on m'avait assigné ? Est-ce que je savais où tout cela me menait ? C'était suffisamment clair. Il suffisait de deux grammes de cervelle pour décoder pourquoi depuis la veille sœur Marie-Crucifix enquêtait sur les dates de mes règles, pourquoi la tendresse de doña Ara à mon égard, pourquoi ma tunique bleue, ma place d'honneur et mes cheveux propres.

Dès qu'ils m'avaient vue arriver dans le quartier, ceux du comité m'avaient élue. Ils avaient jugé que j'étais l'adéquate et très espérée, blanche et radieuse fiancée ; celle qui, à cause de sa taille, ou de sa blondeur, ou peut-être parce qu'elle venait d'ailleurs, présentait les caractéristiques idéales pour donner à l'ange une progéniture. Rien n'avait été laissé au hasard, et les assauts du père Benito n'avaient fait que précipiter les choses.

Ce que je pensais de tout ça ? Je ne voyais que lui, sa présence m'étourdissait et me laissait anéantie. Je le vénérais, c'est tout. Et je le désirais.

« Que ta volonté soit faite », aurais-je pu lui dire si ce n'avait été une hérésie et s'il m'avait demandé quoi faire.

Les pèlerins se sont tus et ils sont repartis vers le village, nous laissant seuls, tous les deux, dans le vent frais du matin. J'étais dévorée de frissons, je n'étais plus moi-même. Je le regardais, et une seule pensée faisait battre mon cœur : « Que ce qui doit être soit. »

Et ainsi fut-il. Dans la grotte, l'ange m'a fait l'amour avec un instinct d'animal, une passion d'homme, et une fureur de dieu.

Il m'a prise comme j'étais, une simple femme. Il a fait

de moi, tout entière, un sanctuaire, sans laisser de côté ni mon cœur ni mon sexe, ni mes neurones ni mes hormones, ni les désirs de mon âme ni les émois de ma peau. Il a dévoré mon amour sacré et bu mon amour profane, il ne m'a pas demandé de les restreindre et n'a pas eu peur du torrent effréné de ce don qui débordait à flots de l'étroitesse du lit et des berges.

Notre union fut un sacrement.

Sainte mon âme et saint mon corps, tous deux comblés d'amour et transfigurés d'allégresse. Sainte la maternité et sainte la sexualité, saint pénis et saint vagin, saint plaisir, orgasme béni, car ils sont purs et propres, et le ciel et la terre en seront emplis, car ils ont été persécutés et calomniés. Qu'ils soient loués, car on les a déclarés innommables. Que soit béni pour toujours le péché de chair, lorsqu'il est commis avec tant de désir et tant d'amour.

Depuis ce jour, rien n'a été pareil. Une blessure ouverte au cœur : voilà ce qu'est depuis lors l'histoire de mon amour pour l'ange de Galilée. Son immense douceur m'avait tourné la tête, son mystère et son silence m'ont fait perdre l'équilibre. Le temps s'est arrêté et j'ai commencé à vivre au rythme du sien, qui n'est pas celui des horloges. Ma poitrine s'est gonflée au souffle de vents intenses venus de loin. Ce matin-là, dans la grotte, j'ai su qu'à l'intérieur de moi je commençais à saigner, flac, flac, flac, les gouttes rouges ont jailli de mon cœur, en même temps que naissait la source de ma joie et de mon malheur. J'ai honte de le dire, car ces choses n'ont plus cours, mais je confesse que, de ce jour, ce que j'ai ressenti pour lui ne fut plus que cela : l'agonie d'un cœur blessé qui saigne d'amour.

IV

Mermeoth ou la fureur de l'ange

Il n'est pas pire drame que de chercher un téléphone public dans cette ville. Lorsqu'ils existent, l'écouteur a été arraché, et s'il y a un écouteur, il n'y a pas de cadran pour faire le numéro. À l'intérieur des cabines téléphoniques, les gens font des choses étranges comme déféquer, écrire des maximes subversives, lancer des pétards, tout sauf téléphoner. À Galilée, faute de téléphones privés, il y en avait deux publics, tous deux saccagés avec application. Orlando m'a accompagnée jusqu'à la boulangerie du quartier voisin où il s'en trouvait un qui avait la réputation de fonctionner.

Lorsque, enfin, j'ai pu parler à mon chef, il m'a lancé une bordée d'injures dont j'aurais préféré me passer. Il a demandé où est-ce que je traînais, si je croyais qu'il me payait des vacances, quelle était cette cochonnerie impubliable que je lui avais envoyée, et pour qui est-ce que je me prenais.

« Et la photo de l'ange ? ai-je réussi à dire. Elle est développée ?

— La photo ? L'ange ? Vous voulez parler de la grosse tache noire ?

— Et mon article ? Il ne vous a pas plu ?

— C'est nul, vous entendez ? Des superstitions de pauvres, ça n'intéresse personne ! »

93

Il me fallait aller à *Somos*, inventer quelque chose pour m'éviter d'être flanquée à la porte, nous sommes donc revenus à Galilée, et Orlando m'a accompagnée jusqu'au seul endroit où l'on pouvait espérer trouver un bus. En chemin, deux choses nous sont arrivées.

La première, c'est qu'il s'est mis à tomber du ciel de grosses gouttes espacées auxquelles je n'ai pas prêté attention, mais qui ont inquiété Orlando.

« En quoi est-ce que c'est bizarre ? lui ai-je demandé. Hier, il tombait des hallebardes.

— Cette pluie-là, c'est différent.

— Qu'est-ce qu'elle a de particulier ?

— C'est le début du déluge universel.

— Qui t'a dit ça ?

— Les Muñiz, ce matin. Elles ont prédit qu'aujourd'hui, quand la pluie commencera, elle ne s'arrêtera plus.

— Et qui sont les Muñiz ?

— Deux sœurs du quartier, Rufa et Chofa, qui font de la marmelade et des confitures.

— Qu'est-ce que les Muñiz connaissent à la pluie ?

— Elles sont très fortes en prophéties. Elles savent des prophéties que seul le pape connaît et qu'il n'a même pas voulu révéler, comme celles des petits bergers de Fatima.

— Comment les Muñiz sont-elles dans le secret ?

— Ce sont les Saenz qui leur ont dit.

— Quel genre de prophéties ?

— Les Muñiz n'en ont révélé qu'une. Enfin les Muñiz, non : une seule, Chofa Muñiz, celle qui a la langue bien pendue. Rufa, on ne peut pas lui tirer un mot, mais Chofa, il suffit de la provoquer. On lui dit "Vous ne savez rien de rien", et comme son orgueil en prend un coup, elle se met à table. L'autre jour, elle a révélé une prophétie.

— Laquelle ?

— La chute du communisme.

94

— Épatant. »

À ce moment-là, les Muñiz ne m'ont pas paru très fiables. Mais quelques heures plus tard, une tornade apocalyptique devait me forcer à reconnaître leurs dons de sibylles. Bien qu'en y regardant de plus près, la destruction de Galilée par les pluies soit une prédiction aussi infaillible que la chute du communisme.

Le second événement auquel Orlando et moi avons été confrontés concernait deux inscriptions toutes fraîches qui s'étalaient sur les murs. Elles étaient toutes les deux signées du sigle MAFA et l'une disait « L'ange est un bâtard », ce qui ne révélait rien que je ne sache déjà, à part le degré d'agressivité auquel étaient parvenus les gens du quartier. L'autre a rendu Orlando hystérique et, avec mon aide, il a couvert le mur de crachats et de coups de pied. Le graffiti disait : « Orlando est le fils du curé Benito. »

Orlando, fils du curé Benito ? Il en était si indigné que j'ai seulement osé lui demander, comme si je parlais d'autre chose : « Comment s'appelle ta maman ? » mais il m'a répondu de manière évasive et sur ces entrefaites un bus est arrivé, et je suis montée dedans.

Par la fenêtre j'ai vu qu'Orlando s'était arrêté sous les grosses gouttes de pluie qui n'étaient déjà plus si espacées.

Lorsque je suis arrivée au journal, il pleuvait à seaux. Je ne raconterai pas mon entrée triomphale, parce que ça n'en vaut pas la peine. Je dirai seulement que ce fut comme atterrir sur une autre planète, et tandis que je me languissais de mon ange et que je le ressentais douloureusement loin, comme si je l'avais connu sur Mars, mon rédacteur en chef déchirait mon article, me démontrait que la fameuse photo était effectivement voilée et m'intimait l'ordre de tout refaire pour le lendemain. Il n'était pas question de changer de sujet car la couverture du prochain numéro était déjà imprimée — le titre annonçait, comme prévu : «Les anges arrivent en Colombie !» —, aussi m'a-t-il envoyée interviewer Marilú Lucena, la star du petit écran qu'un ange avait sauvée sur une route obscure, un jour où sa voiture était tombée en panne alors qu'elle revenait seule d'une fête, à trois heures du matin.

Bien qu'il continue de pleuvoir de manière spectaculaire, que les rues soient inondées et que les embouteillages prennent un tour alarmant, même pour Bogotá, après la confession de Marilú Lucena j'ai dû écouter celle d'un sénateur qui assurait qu'enfant il était resté noyé plus de deux heures au fond d'une piscine et que, s'il pouvait aujourd'hui raconter cette histoire, c'est parce que des anges l'avaient tiré de là et rendu à la vie.

Aux environs de neuf heures du soir, sous le pire déluge de ma vie, je me suis rendue à l'hôtel où logeait le torero Gitanillo de Pereira, pour qu'il me raconte, en exclusivité pour *Somos*, comment pendant les corridas, lorsqu'il voyait un angelot bleu entre les cornes des taureaux, il se savait protégé et sûr que rien de mal ne pouvait lui arriver.

Je suis arrivée chez moi vers onze heures, morte d'ennui et de fatigue, j'ai pris la douche brûlante tant désirée, j'ai bu le thé et mangé les sandwichs que m'a préparés ma tante, la sinistrée d'Armero, et à minuit j'étais en train de m'attabler pour décrypter les révélations de la soirée, lorsque le téléphone s'est mis à sonner.

C'était le veilleur de nuit du journal qui m'apprenait qu'un enfant était venu me demander. Le veilleur de nuit lui avait menti en disant qu'il n'avait pas mon numéro de téléphone, selon la politique instaurée par le journal pour protéger la vie privée de ses rédacteurs, mais l'enfant avait tant insisté et semblait si désespéré que le portier, de guerre lasse, avait fini par m'appeler, au cas où il y aurait quelque chose de grave.

«L'enfant dit qu'il s'appelle…

— Orlando, l'ai-je interrompu. Passez-le-moi tout de suite, s'il vous plaît. »

Orlando paraissait hébété et parlait si vite que je ne comprenais rien. Je lui ai donné l'adresse de mon domicile, je lui ai dit que le veilleur de nuit l'aiderait à trouver un taxi et que je paierais la course à son arrivée.

J'ai accueilli un Orlando très agité, avec des yeux de hibou, qui n'a même pas voulu ôter ses chaussures mouillées ni boire un chocolat chaud. Il m'a dit qu'il s'agissait d'une urgence, qu'il était venu me chercher et que nous devions partir immédiatement pour Galilée, parce que, disait-il, «l'heure du Jugement dernier était arrivée».

«Mais qu'est-ce qu'on peut faire, à cette heure-là?

— Allons-y, Mona, il faut y aller, répétait-il en me tirant par la manche.

— Attends, Orlando, essayons de réfléchir. Assieds-toi et essaie de me dire exactement ce qui se passe.

— C'est l'eau. Elle va emporter les maisons.

— Dans ce cas, appelons les pompiers, l'Office de prévention des désastres, quelqu'un qui puisse empêcher la catastrophe. Voyons un peu, qui pourrions-nous alerter?

— Non, Mona, non, ces gens-là ne peuvent rien faire. Il n'y a que vous.

— Moi? Mais avec cette pluie, nous ne pourrons même pas arriver jusque-là.

— Il n'y a que vous qui puissiez faire quelque chose.

— Faire quoi?

— Calmer l'ange. Tout ce qui arrive est de sa faute.

— De sa faute? Qu'est-ce qu'il a fait?

— Vous vous souvenez de ce que je vous ai dit sur

l'ange effrayant ? Eh bien, voilà. Disons que le mauvais ange attaque de nouveau et que sa fureur va détruire le monde.

— Attaque de nouveau ? Qu'est-ce que ça veut dire ?

— Disons qu'il a une crise de nerfs.

— Dis-moi ce que c'est, cette crise de nerfs ?

— Eh bien, il reçoit une décharge électrique qui le colle au mur comme un pantin et son dos se hérisse par-derrière, disons que sa colonne vertébrale se tord, et il a une telle force que même Sweet Baby Killer ne peut pas l'attraper et il se fait caca dessus et la bave lui sort de la bouche et ses yeux deviennent tout rouges, disons, injectés de sang. »

Orlando me faisait le descriptif de ce qui devait être une crise d'épilepsie, avec ces détails fleuris et cette précision minutieuse que les pauvres pratiquent lorsqu'ils parlent de maladie, et j'en ai eu, moi aussi, une crise, mais d'angoisse et de culpabilité. Je le savais, je le savais, me répétais-je avec rage, ce garçon, l'amour de ma vie, est malade, une crise comme celle-là était prévisible, et moi qui suis loin, incapable de l'aider, et surtout commodément installée dans cette fable absurde et confortable de l'ange, quand la réalité, ce sont ses cris, ses convulsions, son corps brisé par les secousses, les cellules de son cerveau excitées jusqu'au délire, ses pupilles révulsées pour tenter de trouver dans le désordre de la tête une explication et rechercher l'interrupteur qui éteindrait son tourment.

« Cette crise de nerfs, ça lui arrive souvent ?

— Assez souvent. Et chaque fois, c'est pire. »

J'ai pensé à Harry Puentes, mon voisin de palier, toujours gentil et attentif, qui en plus d'être médecin récemment diplômé, ne me refusait jamais un service. Il avait un 4×4 Mitsubishi, et peut-être pourrait-il nous conduire.

Bien que nous l'ayons réveillé et tiré du lit, Harry s'est empressé d'accepter. Il a enfilé sur son pyjama un blouson et des bottes de randonneur et nous avons démarré à trois heures du matin. À mesure que nous nous enfoncions sur la route déserte, l'inquiétude nous gagnait tous les deux, Harry et moi, car nous savions qu'à cette époque la mode était de barrer les routes avec des troncs d'arbre pour arrêter les véhicules, faire descendre les passagers et, les jours fastes, leur permettre de continuer le voyage à pied après leur avoir administré une dose d'atropine. Harry gardait une arme dans la boîte à gants, mais nous savions tous deux qu'à l'heure de vérité, et devant les mini-Uzi des professionnels du hold-up, la seule chose que nous pourrions faire avec notre pistolet serait de nous le mettre quelque part.

Mais cette nuit illuminée d'éclairs épouvantait même les criminels et personne ne nous a fait de tort, aucun tronc ne s'est mis en travers. Nous avons fait tout ce qui était humainement possible pour atteindre Galilée, en explorant l'une après l'autre toutes ses voies d'accès, mais la jeep patinait, mise au supplice par les rafales de vent, et tanguait sur la boue comme un bateau ivre. C'était une tâche impossible, même pour trois obstinés et un 4×4 Mitsubishi.

À travers les vitres embuées, nous voyions la tempête se déchaîner sur la montagne avec une violence si hargneuse qu'elle paraissait humaine.

« Ce sont les Sept Coups de la Colère de Dieu, a dit Orlando en tremblant de peur.

— Mais non, c'est simplement un très gros orage », lui ai-je dit pour le calmer, bien qu'en réalité il me semblât entendre les trompettes des légions d'anges sonnant le tocsin du Jugement dernier.

« Regardez ! Vous ne le voyez pas ? a demandé

Orlando alors qu'un majestueux éclair déchargeait son voltage sur la terre.

— Quoi ?

— Là ! Énorme ! Avec sa tête qui touche le ciel ! » criait-il, hors de lui.

— Allons, du calme, petit, dit Harry. Dis-moi ce que tu vois.

— Je vois Mermeoth, l'ange de la tempête. Mermeoth, c'est celui qui commande tous les fleuves, toutes les mers, même les larmes et la pluie, pour tout dire tous les liquides de la terre. C'est ce qu'il dit dans les cahiers d'Ara. Là-haut, c'est Mermeoth et c'est un verrat ! Regardez ! Sa tête avale les éclairs !

— Partons, a dit Harry. Il est presque cinq heures du matin, on ne peut rien faire pour le garçon de là-haut, et celui-ci en revanche va devenir raide cinglé. »

Nous sommes revenus à mon appartement, j'ai remercié Harry de ses efforts par un petit déjeuner consistant, et puis nous sommes restés seuls, Orlando et moi. Je lui ai confectionné, près du mien, un lit avec des coussins et j'ai essayé de le calmer pour qu'il dorme un peu, en lui disant que le lendemain, dès qu'il pleuvrait moins, nous irions à Galilée, nous viendrions au secours des gens, et nous amènerions Harry pour qu'il soigne l'ange.

« Il n'est pas malade, il est possédé par Mermeoth », m'a-t-il déclaré.

L'état nerveux d'Orlando était tel que, même épuisé comme il l'était, il ne pouvait pas dormir. Il se tournait et se retournait comme un condamné, il se découvrait, il mettait les coussins sens dessus dessous, aussi, tandis que j'essayais de travailler à la transcription des enregistrements que je devais remettre quelques heures plus tard, j'ai allumé la télévision et l'ai branchée sur un film qui l'a immédiatement fasciné.

Pendant qu'Orlando regardait une dame enlever ses chaussures pour échapper à une meute de dobermans qui voulaient la dévorer, moi, depuis mon lit je lui caressais la tête, et je lui ai demandé : « Orlando, c'est vrai que tu es le fils d'Ara ?

— Oui.

— Et le frère de l'ange ?

— Seulement du côté de ma mère.

— Pourquoi ne me l'as-tu pas dit ?

— C'est une stratégie de Crucifix. Depuis que je suis devenu guide de journalistes, nous nous sommes mis d'accord avec elle sur ce que nous devions leur dire. Pour qu'ils ne pensent pas que c'est de la publicité et qu'ils croient que, pour l'ange, je suis impartial.

— Dis-moi la vérité, Orlando. Tu crois, toi, que ton frère est un ange ?

— Je sais que c'est un ange.

— Et comment peux-tu en être sûr ? Après tout, il n'a même pas d'ailes…

— Il n'a pas d'ailes parce que ici, sur la terre, il a mis son déguisement d'homme. »

Je n'ai pas demandé à l'enfant qui était son père. Les graffitis sur le mur me l'avaient déjà appris.

Le premier cheval est rouge colérique, seigneur de la guerre. Le deuxième est noir mélancolique, maître de la nuit. Le quatrième est la jument blanche de la mort. Et je suis le troisième, Mermeoth, cheval pâle, couleur éteinte du soleil hivernal, seigneur des tempêtes.

Je suis Mermeoth, corps équin, tête d'ange albinos, centaure dissous dans l'eau qui reflète le ciel. Je suis l'océan, je suis chaque goutte de pluie et de pleurs. De mes sabots je brise les lagunes comme si c'étaient des miroirs. Je me nourris de neige et mes dents mastiquent des cristaux de gelée blanche.

Dans la nuit humide, mes pas sont silencieux. Je suis le cheval et je suis le cavalier qui traversent solitaires les espaces blafards. Perdu dans le brouillard, je cherche l'étang paisible, glacé, et j'y pénètre. Cheval pâle plongé dans l'eau, perdu dans les songes, dissous en écume.

Je suis Mermeoth et mes veines sont des fleuves. Mon trot léger parcourt la ligne vaporeuse et lactée de la Voie. De la buée qui sort de mes naseaux je ternis les fenêtres du vent.

Je suis l'anémique cheval que couronne la lune. D'elle, je suis fils, né de son humidité, de son froid serein, de la fragile toile d'araignée de sa lumière. Elle me couronne de ses rayons apaisants, ses clairs reflets détendent mes nerfs crispés. Elle calme ma folie, et je suis l'ange indolent au doux galop.

La lune se retire. Mauvais augure. Le vent se paralyse.

Je connais bien le calme qui précède la tempête. Je sens dans l'air une odeur de désastre. Je pressens la fatigue qui veut me subjuguer. Je sais que je suis sur le point de franchir le seuil.

Devant moi s'ouvre le royaume de l'aura. Plan infini, métallique, solide, électrique, cruellement lumineux, sans un pan d'ombre pour échapper à la lumière. Aucune courbe, aucun recoin pour faire halte.

Une vapeur malsaine monte de mes membres et pénètre mon esprit. Cette plaine lumineuse et sans ombre est annonciatrice de douleurs, en elle croît l'herbe de la démence.

Je veux revenir en arrière et ne le peux. Mon galop se fait ombrageux, démesuré. Sur mes flancs mousse l'écume de mon angoisse. Une horrible lucidité s'empare de ma tête. C'est l'aura, je la reconnais, je l'ai déjà vécue. Je ne supporte plus mes propres pensées, elles traversent mon esprit comme des dards, précis et aigus. Tout souvenir est net, toute idée insupportablement exacte. Je sais ce qui approche, et je tremble.

Je veux me protéger, je ne résiste pas aux excès de ma propre intelligence. Je veux éteindre cette clarté déchirante, m'en débarrasser comme la main lâche le bloc de glace qui la brûle.

Je veux échapper à la lumière, mais elle jaillit de ma propre mémoire. Cette lumière terrible qui élimine toute ombre provient de moi. Je m'enfuis de moi-même, mon galop devient frénétique, je cours comme un dément, un possédé, je piétine têtes et bras et jambes, j'écrase tout ce qui tombe sous mes sabots. J'embourbe le monde d'une bave épaisse, j'inonde l'espace de ma sueur, je

103

détruis montagnes et villages, je massacre à mon passage des multitudes.

Mais il n'y a pas de refuge, pas d'échappatoire. Je pressens la décharge et je freine sèchement des quatre fers, coléreux, impuissant. Je reste immobile et j'attends. Ma nuque devine le tranchant de la hache, une crainte visqueuse bat dans mes entrailles. Mes muscles tendus vont se rompre, chacune de mes cordes se tend jusqu'au délire.

Alors tombe, imparable, la foudre.

Sa décharge me foudroie. Sa haine me tient sur les pattes arrière, ployé comme un arc, crucifié contre le ciel. Je suis un incendie vivant et en me désintégrant je vomis de la lave et je crache des étoiles.

Quand l'éclair s'éteint, il me laisse tomber. Titan brisé aux os en miettes, le cerveau carbonisé. De moi ne restent que des cendres d'archange que le vent disperse.

Cet obscur débris qui gît exsangue sur le sol, c'est moi. L'ange Mermeoth, Grand Seigneur des Eaux, noyé dans la mare de ses propres urines.

Que devenait mon ange? Entre lui et moi s'interposaient une longue matinée, une circulation insupportable, les attaques lamentablement affectées de mon rédacteur en chef qui mit une éternité à lire mon article et à me laisser partir, le sommeil d'Orlando, que j'avais trouvé en rentrant encore endormi sur le tapis. Morte d'anxiété, ce ne fut qu'à deux heures de l'après-midi que je pus enfin arriver avec l'enfant à Galilée. Harry Puentes ne nous avait pas accompagnés car il avait du travail.

Contre toute attente, sur la montagne la journée était radieuse, comme si pendant la nuit la nature s'était purgée de ses miasmes, et le ciel, d'un bleu ingénu, faisait l'innocent. Et la catastrophe? On n'en voyait trace nulle part. Tout au contraire, la pluie avait décrassé le quartier, le laissant aussi propre que s'il sortait de la blanchisserie.

En passant devant l'église nous avons entendu la voix du père Benito qui répandait ses homélies par haut-parleurs. La porte, qui était à tambour, a englouti Orlando pour le recracher sur-le-champ.

« Venez, Monita, entrez dans l'église, vous allez les voir.

— Qui?

— Regardez d'abord, ensuite je vous dirai qui c'est.

— Pas maintenant, Orlando, je veux savoir ce qui s'est passé chez toi.

— Après, ce sera trop tard. »

Il était inutile d'essayer de se libérer d'Orlando quand il commençait à vous tirer par la manche, j'ai donc obtempéré. À l'intérieur, il y avait peu de monde, mais mon attention a été attirée par un groupe de cinq ou six garçons qui se tenaient debout au fond et qui détonnaient avec leur tee-shirt flottant sur leur jean, leurs tennis de marque et leurs chapelets enroulés autour du cou, des poignets et même des chevilles. J'ai demandé à Orlando qui ils étaient, et il m'a répondu qu'il me le dirait dehors.

Le père Benito énumérait les incroyables pouvoirs qu'un ange possède, ceux-là mêmes qui rendent sa présence sur terre extrêmement dangereuse quand il ne s'agit pas d'un ange de lumière — qui ne veut que le bien —, mais d'un ange de l'ombre. Lorsque nous sommes sortis, il continuait sa nomenclature qui incluait, entre autres, les rubriques suivantes que j'ai pu noter sur mon carnet : un ange de statut moyen peut dévier les vents ; enténébrer le soleil ; arrêter le cours des fleuves ou faire déborder les eaux ; rendre la nuit lumineuse et éviter les incendies ; causer la pénurie et la disette ; transporter les corps d'un lieu à un autre comme furent transportés Élie, Habacuc et saint Philippe ; doter de parole les animaux, qui sont naturellement muets, tel l'ange qui fit parler l'âne de Balaam ; passer d'un lieu à un autre sans toucher le centre ; pénétrer le corps humain jusqu'au cœur et au cerveau.

« Vous les avez vus ? m'a demandé Orlando, une fois hors de l'église. C'est eux. Une clique minable. Ils traînent par ici en bombant les murs et en attaquant les gens avec des pétards de leur fabrication. Avant cette bande s'appelait les Pue-des-Pieds.

— Et comment s'appelle-t-elle à présent ?

— Elle s'appelle MAFA.

— La même qui signe les graffitis ?

— Exactement.

— Et MAFA, ça veut dire quoi ?

— J'ai eu un copain qui faisait partie de cette bande, mais maintenant il est en prison.

— Un copain de ton âge ?

— Plus ou moins. Le manque de bol de mon copain, c'est qu'il a volé un téléviseur à une dame et qu'il l'a revendu, une vraie poisse, à un oncle de cette même dame qui l'a acheté sans savoir d'où venait le téléviseur, mais quand il s'en est aperçu il l'a rendu à sa nièce et il a collé un procès à mon ami, c'est pour ça qu'il est en prison, mais l'oncle de la dame a dû quitter le quartier parce que les copains de mon copain n'allaient pas rester à se croiser les bras, et en fin de compte le téléviseur de la dame a été encore volé, mais par une autre bande qui s'appelle les Cagoulés parce qu'ils font leurs coups avec une cagoule qui leur cache le visage bien qu'ici on les connaisse tous, leur chef est un policier qui de temps en temps fait le voyou et de temps en temps fait la loi. »

Les histoires d'Orlando se sont dévidées comme des serpentins accrochés les uns aux autres par la queue, jusqu'à ce que nous soyons arrivés à la ville basse, et ce que nous y avons vu nous a laissés bouche bée.

D'un coup net, sans oublier les décombres, l'eau avait balayé quatre ou cinq maisons du bas. La ruelle semblait identique à elle-même, avec ses festons de plastique et le reste, il n'y manquait que des maisons, comme il manque des dents à une bouche édentée. Quelques sinistrés étaient assis sur des ballots ou des vieilleries qu'ils avaient pu sauver, et ils restaient là, en silence, l'air de rien, comme s'ils faisaient la queue pour entrer au cinéma.

D'autres s'installaient dans la maison de voisins plus chanceux. Tout se passait lentement et dans le calme, et il y avait dans l'air une surprenante odeur de routine.

« Il y a eu des morts, des blessés ? ai-je demandé au premier qui s'est présenté.

— Non, mademoiselle, que des dégâts matériels. »

Plus haut, nous avons vu la maison rose, apparemment sauve, et nous l'avons rejointe en deux enjambées.

Devant la porte, Marujita de Peláez déblayait la boue avec un balai et elle nous a souhaité la bienvenue.

« Comme c'est gentil d'être venue. Mais tout est fini. Il est couché maintenant, on dirait un saint.

— Il a eu une crise ? ai-je demandé.

— Une des pires qu'on ait vues. Le diable lui est entré par le petit doigt, il est passé par le poignet, il lui a secoué le bras comme si c'était un chiffon et il l'a jeté contre le mur. »

En entrant dans la maison, j'ai tout de suite cherché la malle aux cahiers. Son sort m'avait beaucoup préoccupée cette nuit mais elle était là, saine et sauve après le déluge, comme une arche de Noé, avec son trésor intact.

L'ange de ma vie était étendu sur le lit de doña Ara, comateux, inerte, comme si toute l'armée céleste lui était passée sur le corps. Mais plus beau que jamais. C'était un dieu vaincu et déchu, mais c'était toujours un dieu. Son rayonnement avait une telle intensité que j'ai craint qu'il n'incendiât la maison.

Autour de lui se pressait une petite foule d'admirateurs qui le contemplait avec espoir, attendant sans doute qu'il se décide une bonne fois à monter au ciel, corps et âme. Je suis entrée sur la pointe des pieds et je suis restée discrètement dans un coin, mais très vite, ses yeux qui m'avaient cherchée ont rencontré les miens.

Il m'a regardée et il a tendu sa main vers moi. Avec un

geste faible mais assuré, tranquille, il a tendu sa main vers moi. Je me suis frayé un chemin parmi les badauds jusqu'au chevet de son lit ; millimètre par millimètre, mes doigts se sont avancés vers les siens et lorsque le contact s'est établi, j'ai senti s'ébranler l'univers et se multiplier les galaxies.

Je me suis agenouillée près de lui, j'ai caressé sa tête encore baignée de sueur, et j'ai vu scintiller dans ses yeux les étoiles qui l'aveuglaient. Engourdi, à peine descendu de la croix, il déroulait le fil de ses phrases, si étranges, d'une harmonie si apaisante, ses phrases indéchiffrables et hypnotiques que je répétais, et c'est en nous tenant par la main, en transes tous les deux comme si nous avions été seuls, que nous avons franchi les frontières du temps jusqu'à rencontrer une voix qui pour moi était familière et adorée, une voix qui avait mis vingt ans à me parvenir en ondoyant, comme un sang ancien accoutumé à mes veines. C'était, sans confusion possible, la langue flamande de mon aïeul belge né à Anvers qui sourdait à présent de la bouche de mon ange et que je reconnaissais, bien que je ne sache pas ce qu'elle signifiait, pas plus que je n'avais compris un mot de ce que bredouillait mon grand-père dans sa langue maternelle.

J'aurais voulu que ce moment se prolonge indéfiniment et que s'écoule ainsi le reste de mes jours mais je me rendis soudain compte, avec ce qui me restait de conscience, que Crucifix répétait un geste que je lui avais déjà vu faire, avec un petit miroir de poche sur lequel elle envoyait de façon intermittente la lumière d'une lampe sur le visage de mon ange. Il est sorti de sa torpeur pour se protéger les yeux de son avant-bras, et lorsque Crucifix a essayé de l'en empêcher, Sweet Baby Killer lui est tombée dessus et l'a terrassée.

« Qu'est-ce qu'il y a ? me suis-je écriée.

— Qu'est-ce qu'il y a ? se sont écriés, en sursautant, les autres.

— Empêchez-la ! Empêchez-la ! criait aussi Sweet Baby Killer, sans laisser à sa victime la moindre chance de respirer.

— Empêcher quoi ?

— Empêchez-la de faire ça avec le miroir !

— Faire quoi avec le miroir ? »

Sur ce, doña Ara, que l'explosion de colère avait alarmée, a fait son entrée, et elle a parlé avec une autorité que je ne lui connaissais pas.

« Que tout le monde sorte ! Sauf ces deux-là, et la famille. Et vous aussi, restez, Mona. Très bien, dites-moi de quoi il s'agit. »

Les autres ont quitté la chambre, et quand il n'en est plus resté un seul, Sweet Baby Killer a arraché le miroir des mains de Crucifix et, avec la lampe, elle a fait une démonstration à Ara : « Tenez, doña Ara. C'est avec ça que Crucifix provoque les crises de l'ange. Je m'en suis aperçue l'autre jour. »

Ara a pris l'objet et l'a regardé avec perplexité, mais moi j'avais compris, et je lui ai expliqué : « Ces crises qu'a votre fils, doña Ara, sont certainement des crises d'épilepsie. L'épilepsie est une maladie, elle est terrible pour celui qui la subit. Ce que veut dire Sweet Baby Killer, c'est que doña Crucifix sait provoquer ces crises. C'est-à-dire qu'elle sait quoi faire pour qu'elles se déclenchent. La lumière intermittente dans le miroir frappe quelque chose dans la tête de votre fils et ses convulsions commencent.

— Mais… je ne comprends pas bien. Pourquoi Crucifix ferait-elle ça ? a demandé doña Ara en plantant ses yeux effarés dans les yeux pâles de la sœur.

— Pour attirer le public, tiens ! a crié Orlando qui était

110

le seul à ne pas encore avoir crié. Elle sait bien que les gens préfèrent quand il a des crises de nerfs.

— Un instant, a dit Ara. Ses crises se produisent parfois en l'absence de sœur Crucifix.

— C'est possible, ai-je dit. Parfois la crise se produit d'elle-même. Et quand elle ne se produit pas, Crucifix s'en charge. Elle n'y parvient pas toujours, bien sûr, alors les gens partent déçus. »

Détachant chaque syllabe, comme un juge prononçant une sentence, doña Ara a dit : « Sweet Baby, à partir de maintenant, tu ne quittes plus ce garçon d'une semelle, ni de nuit ni de jour, et si tu vois que Crucifix veut lui faire du mal, avec le miroir ou autre chose, tu la tues. Tu entends ? Tu la tues. Tu as ma permission. »

Puis elle s'est tournée vers Crucifix : « Quant à vous, sœur Crucifix, sachez ce qui vous attend si vous recommencez. Je vous préviens. La mort ne sera rien à côté.

— Pardonnez-moi de vous dire ça, doña Ara, l'ai-je interrompue, voulant profiter de l'occasion. Mais votre fils doit recevoir des soins. Je connais un endroit où on peut le soigner. On ne peut pas le laisser souffrir ainsi alors qu'il y a des médicaments…

— D'accord, emmenons-le et faisons-le soigner, m'a coupée doña Ara. Mais je vous préviens d'une chose, Mona, pour que ce soit bien clair. Que l'ange soit épileptique, ou autre chose, ne veut pas dire qu'il n'est pas un ange.

— C'est clair. Qu'on l'habille pour que je puisse l'emmener. Mais auparavant, doña Ara, il y a deux petites choses dont j'aimerais parler seule à seule avec vous. »

Nous sommes sorties dans le patio. Elle s'est assise sur le bord du lavoir, à l'endroit précis où lundi soir j'avais trouvé son fils baigné par la lune.

« Ara, nous devons parler franchement, à cœur ouvert.

— À vous, j'ai toujours dit la vérité.

— Mais pas tout entière. Orlando est aussi votre fils, n'est-ce pas ?

— Oui, aussi.

— Le vôtre et celui du père Benito ?

— Mona, essayez de comprendre.

— Je comprends, doña Ara. Je comprends très bien. Mais répondez-moi par oui ou par non.

— Oui.

— Racontez-moi. »

Elle tortillait le bas de sa jupe en scrutant le sol, comme si elle cherchait des pièces de monnaie tombées de sa poche. Elle a commencé à parler, mais elle s'interrompait tous les deux mots et reprenait depuis le début. Elle a enfin paru se décider, elle m'a regardée en face et m'a tout sorti, de A jusqu'à Z : « Rien n'a été facile. Lorsque le vieux curé est mort, mes parents étaient déjà morts eux aussi. Je ne savais rien faire, à part épousseter les saints et fleurir l'autel. L'église était mon refuge, le seul endroit où je me plaisais. Tant que le vieux curé a vécu, je passais des heures à discuter avec lui, ou à l'écouter jouer des cantiques à l'orgue. C'est lui, qu'il repose en paix, qui m'a appris à écrire, qui m'a appris tout ce que je sais, et il me donnait des vies des saints que je lisais en un clin d'œil.

« Il n'y avait pas un coin de l'église que je ne connaisse et qui ne soit à moi. J'aimais grimper jusqu'au clocher, sentir le vent me fouetter le visage et regarder la ville. Je la parcourais des yeux, rue par rue, recoin après recoin, en imaginant que mon fils devait être là, quelque part, et qu'un jour je le verrais de là-haut et que je descendrais en courant à sa rencontre.

« J'aimais aussi la crypte, avec son odeur froide et sa cargaison de saints sans nez. Les soirs où il faisait beau, je m'asseyais sur les marches du parvis avec un tube de pâte Brillo et je frottais les patènes, le ciboire, les candélabres, jusqu'à les rendre aveuglants tellement ils brillaient. Même le Christ ne me dérangeait pas, pourtant si grand et si sanglant qu'il fait peur à tout le monde. Moi je pensais au contraire qu'il était mon ami, je bavardais avec lui, je lui racontais ce que je n'aurais jamais osé dire à personne d'autre, et je le suppliais de m'aider à retrouver mon fils. Comme il était très haut, je devais grimper sur un escabeau pour nettoyer ses blessures, j'aimais penser que je calmais un peu ses souffrances. De temps en temps je lui ôtais sa perruque, qui est en cheveux naturels, et je la lavais trois fois avec du shampooing. Et puis je lui mettais des rouleaux, je la séchais avec un séchoir et je la lui remettais pour qu'il soit beau. Le vieux curé me disait : "Qu'est-ce que tu crois, Ara, que ce Christ est une poupée ?"

« En revanche, je lui ôtais sa couronne d'épines et je la cachais, parce que je pensais qu'elle devait beaucoup le fatiguer. Je la gardais cachée jusqu'à ce que le curé s'aperçoive de son absence et se mette à crier : "Ara, Araceli, on a volé la couronne du Christ !" Alors je la sortais de sa cachette et je lui disais : "Mais non, je l'ai seulement nettoyée pour que l'oxyde ne la mange pas."

« Ensuite le vieux curé est mort et le père Benito est arrivé pour s'occuper de la paroisse et de l'église avec tout ce qu'il y avait dedans, moi y compris. Mais avec le père Benito les choses n'ont pas été pareilles, parce qu'il m'a obligée à faire un travail supplémentaire, un travail désagréable. Vous me comprenez, Mademoiselle Mona ?

— Oui, doña Ara. Je comprends. C'est de ce travail qu'est né Orlando, n'est-ce pas ?

— C'est ça. Alors les mauvaises langues ont commencé à jaser et le père Benito à devenir nerveux et à me dire que si je voulais garder mon travail, je devais me débarrasser de l'enfant. Vous vous rendez compte ? Me dire encore une fois ces paroles-là, alors que c'est à cause d'elles que j'avais souffert toute ma vie ! Le père savait comment me contraindre parce que, comme je vous l'ai dit, je ne savais rien faire d'autre qu'épousseter les saints et qu'en dehors de l'église le monde pour moi était un mystère. Mais j'étais décidée, je me serais fait tuer plutôt que d'abandonner un enfant pour la seconde fois. Alors j'ai quitté l'église et, avec le petit, j'ai commencé à traîner partout où on voulait bien de moi et je l'ai nourri avec ce que je gagnais en faisant la lessive. Ce qui était trop peu, et la vérité c'est que nous mourions de faim tous les deux.

« Le père Benito attendait de me voir définitivement vaincue pour me tendre la main, en imposant ses conditions. Mais j'étais résolue à mourir plutôt que de céder. Ça n'allait pas fort, pour Orlando et moi. Il grandissait et moi j'avais toujours la tête ailleurs, ne pensant qu'à mon fils aîné, celui que j'avais perdu. À cette époque, c'était Orlando qui s'occupait de moi, depuis tout petit il a veillé sur moi pour que je mange, que je me repose, et de temps à autre il m'accompagnait le soir dans mes déambulations pour trouver son frère. Il était si prévenant qu'à la fin on aurait dit que c'était lui ma mère.

« En ce temps-là, j'étais déjà obsédée par mes cahiers, emportée par la fièvre de l'écriture, et c'est alors que notre vie a croisé celle de la sœur Marie-Crucifix. Elle a lu mes écrits et s'y est intéressée. Elle m'a demandé de travailler avec elle parce que j'avais de bonnes dispositions.

— Travailler à quoi, doña Ara ?

— On disait qu'elle était sorcière. Elle l'était peut-être, je ne sais pas. Ce qui est sûr, c'est qu'elle préparait des emplâtres et des onguents pour les malades, qu'elle bénissait les maisons pour en chasser les mauvais esprits, et qu'elle purifiait les gens assaillis par la malchance. Crucifix en tirait quelques sous, et comme j'étais son assistante, c'est de ça que nous avons commencé à vivre tous les trois. Ensuite s'est terminé un procès qui avait embrouillé la succession de mon père et j'ai hérité de cette maison dans laquelle nous avons pu vivre. Et puis, grâce au ciel, l'ange est apparu, et la suite de l'histoire, vous la connaissez.

— Je vois. Mais entre vous et Crucifix, ça ne marche pas très bien, doña Ara.

— Tout est relatif et dépend du point de vue, Mademoiselle Mona. Elle tient à son pouvoir et ça la rend parfois méchante. Mais ça la rend aussi habile. Regardez toutes les bonnes choses qui nous sont arrivées depuis que nous avons lié connaissance : d'abord de l'argent pour vivre, ensuite un procès gagné qui m'a valu un toit, enfin la récompense de mes recherches avec ce fils miraculeusement réapparu. Aujourd'hui, elle nous cause des ennuis et il est normal qu'on l'ait à l'œil. Mais je pense aussi que mes deux fils et moi vivons des aumônes, des offrandes et des dons qu'elle se charge d'obtenir.

— Pardonnez-moi de vous parler crûment, doña Ara, mais puisque vous m'avez dit la vérité, je vous la dois aussi. Ne pensez-vous pas que cette dame utilise votre fils, je veux dire qu'elle exploite le culte de l'ange ? Ce qui peut faire beaucoup de tort à votre fils, vous ne croyez pas ?

— En partie, oui, mais il faut voir aussi, Mademoiselle Mona, que grâce à sœur Crucifix mon fils est respecté par les gens de Galilée. Respecté et admiré, et je peux même dire adoré. Que serait-il devenu si Crucifix ne s'était pas rendu compte que c'était un ange ? »

Devant l'impeccable logique de doña Ara je n'ai rien trouvé à ajouter. Mais un autre sujet m'inquiétait et c'était également le moment de l'éclaircir.

« Autre chose, doña Ara. Sur cette bande qui s'appelle MAFA. J'ai vu qu'ils écrivaient des mots offensants sur les murs et je voudrais savoir ce qu'ils ont contre vous. Vous savez ce que signifie MAFA ?

— Oui, je sais. Ça veut dire "Mort Au Faux Ange".

— À peu près ce que je pensais. Vous croyez qu'ils ont vraiment l'intention de le tuer ?

— Jusqu'à présent, que je sache, ils n'ont jamais tué personne. Ils dévalisent, ça oui, et ils violent des filles. Mais tuer, non, ils ne l'ont jamais fait. Bien qu'on dise qu'ils fanfaronnent, excités par les paroles du père Benito qui a rejeté sur mon fils la responsabilité du déluge et de l'éboulement des maisons, ce qui est peut-être un peu vrai, parce que c'est lorsque mon fils a été pris de convulsions que les maisons ont commencé à glisser. Le père Benito dit que la preuve en est que le châtiment est tombé sur la ville basse, là où vivent les plus hérétiques.

— Et le père Benito n'a pas dit que c'est justement dans la ville basse qu'il y a les maisons les plus instables et le terrain le plus escarpé ? ai-je explosé.

— Ce genre de raisonnement n'a pas cours ici.

— Tout ça est très sérieux, Ara. Vous croyez vraiment que les types de la MAFA exécutent les ordres du père Benito ?

— Non. Pas vraiment. Ils travaillent pour leur propre compte. Mais ce que je crois, c'est que ces garçons nourrissent leur âme de la colère que leur jette, de sa chaire, le père Benito. »

Elle a remis entre mes mains la décision de confier l'ange à des médecins et elle est allée préparer une maïzena à la cannelle, au cas où il en aurait envie.

La MAFA était une raison supplémentaire pour agir immédiatement, donc je devais me remuer, et vite. La première chose dont j'avais besoin, c'était d'un téléphone.

V

La vengeance d'Israfel

Par le téléphone de la boulangerie j'ai appelé Ofelia Mondragon, ma meilleure amie depuis l'école primaire, docteur en psychologie, qui le matin, à sa consultation privée, aidait les enfants de riches à se tenir à l'écart de la drogue et à se rapprocher de leurs parents, et, l'après-midi, travaillait en tant que bénévole dans un hospice pour malades mentales plus connu sous le nom d'« asile de folles ». Les folles les plus furieuses, les plus pauvres et les plus délaissées de la ville allaient y échouer, et malgré l'état d'abandon et de dégradation des installations, on les soignait avec tant de sainte abnégation que, si elles ne guérissaient pas, elles étaient au moins consolées.

Le téléphone sonnait désespérément dans le vide et je bouillais d'impatience lorsque quelqu'un a eu enfin la charité de me répondre et de me dire qu'il allait me passer le docteur Mondragon. Les minutes s'écoulaient, j'entendais dans l'écouteur l'écho distordu de ce que j'imaginais être des cris étouffés, la fente de l'appareil avalait une pièce après l'autre.

J'étais inquiète d'être ainsi connectée au monde obscur de la démence, comme si c'était un virus contagieux qui pouvait circuler par câble et se transmettre au cerveau par l'oreille. Cette crainte irrationnelle de la folie, que j'avais toujours eue, me venait sans doute de la cer-

119

titude que tôt ou tard elle m'attendrait au coin de la rue. Il suffirait alors de faire quelques mètres de plus, de frapper à la porte et d'entrer tout à fait pour ne plus jamais en revenir, comme c'était arrivé à ma grand-mère et à mes tantes maternelles, et sur ses vieux jours, par fatalité héréditaire, à ma mère, victime d'une artériosclérose délirante qui remplit son lit et son imagination de nains verts, aussi sautillants et indiscrets qu'une tribu de grenouilles.

À l'autre bout de la ligne, personne ne soulevait l'écouteur. Et si c'était une folle qui m'avait répondu et avait immédiatement mangé la commission ? Et si le docteur Mondragon n'était plus là, et que personne ne puisse arracher mon ange à la bulle qui l'emprisonnait ? Et si elle était là et guérissait mon ange, mais qu'elle le prive de son pouvoir et de sa magie ? Je me débattais pour savoir si je devais raccrocher ou continuer d'attendre lorsque enfin j'ai entendu sa voix.

« Ofelia, je suis avec une personne qui a besoin de ton aide. C'est une urgence, lui ai-je dit.

— Tu peux me l'amener ? Je t'attends.

— Tout de suite ?

— Tout de suite. »

On appelait Ofelia « la Belle Ofelia ». Son front, sa peau, son nez, sa bouche, l'ovale de son visage étaient dessinés selon les paramètres classiques du médaillon antique, mais ses yeux immenses et enclins aux larmes semblaient plutôt sortis d'un dessin animé japonais. Plus qu'en son diplôme de l'université catholique Saint-Xavier, obtenu grâce à sa thèse consacrée à l'influence de la lune sur les états dépressifs, Ofelia se fiait à son intuition, si fine qu'elle lui permettait de faire des choses hors du commun, comme cette fois où, étant en vacances à la plage avec des amies, elle avait perdu une bague dans la mer et l'avait retrouvée sous mes yeux après l'avoir à peine cherchée.

Ni Freud ni Jung n'étaient parvenus à la dissuader que le hasard, l'inexplicable et le surnaturel jouent un rôle décisif dans la vie de chacun. Cette croyance l'incitait à investir une partie de son salaire en billets de loterie, à prendre ses décisions importantes après consultation du I-Ching et du tarot, à prêter attention aux signaux émis par la nature — en particulier l'apparition d'oiseaux qui pouvaient être de bon ou de mauvais augure — et à interpréter après le déjeuner les traces laissées au fond de la tasse par le marc de café.

Il n'y avait aucun doute, la Belle Ofelia était la personne à qui recourir dans un cas aussi extravagant et pressant que celui qui m'occupait.

À Galilée, une assemblée de douze femmes, parmi lesquelles ne figurait pas Crucifix, s'est organisée pour transporter l'ange jusqu'à l'hôpital. Treize personnes au total, en comptant Orlando, qui venait avec nous mais en traînant les pieds. Il avait le front bas d'un enfant grondé, parce que, d'après ce que j'ai su, la nuit précédente il était parti de chez lui sans rien dire à personne, flanquant à sa mère la peur de sa vie, et pour couronner ce mauvais tour il en avait commis un second, en séchant l'école ce matin.

Je voulais partir tout de suite car je pressentais qu'aller jusqu'à l'asile ne serait pas une sinécure. Il se pouvait qu'Ara se repente, que Crucifix s'interpose, que l'ange ait une autre crise et que nous ne puissions plus l'emmener. Sans compter qu'avoir à le porter à bout de bras allait être une véritable épopée, ce que nous aurait évité la Mitsubishi de Harry, mais à quoi bon ces spéculations, puisque la Mitsubishi de Harry, nous ne l'avions pas.

Nous ne parvenions pas à décoller : quand ce n'était pas pour une raison, c'était pour une autre. Il fallait attendre que Marujita de Peláez ait fini de nourrir ses animaux, que l'ange — c'était préférable — boive un peu d'eau avant de partir, qu'une telle change de chaussures, que l'autre aille en vitesse — je reviens tout de suite — chercher de l'argent. De toute sa souveraine et archaïque quiétude, mon ange nous contemplait dans nos allées et venues comme si nous étions des fourmis déboussolées, et sur son beau visage on lisait la perplexité et la difficulté de discernement de celui qui assiste à une partie de football où les deux équipes portent le même maillot.

Enfin la caravane s'est mise en marche, l'ange porté par quatre personnes sur une civière et caché sous une toile de bâche, mais nous n'avions pas fait cinquante pas que ça y était : comme prévu, les ennuis nous sont tombés dessus. Ce n'était ni les remords d'Ara, ni l'hostilité de Crucifix, ni même une nouvelle crise de l'ange. Mais un assaut du père Benito, armé d'un crucifix et d'une bouteille d'eau bénite, exhalant par la bouche et le nez l'odeur méphitique de ses trente cigarettes quotidiennes qui lui embuaient les lunettes et lui hérissaient les sourcils. Il arrivait avec fermeté sur le sentier de la guerre, suivi d'un enfant de chœur et de trois des types de la MAFA que j'avais vus à l'église.

« Halte ! a crié le curé en nous barrant le chemin et en brandissant son crucifix. Où croyez-vous aller ?

— Ça ne vous regarde pas, mon père, lui a répondu Ara.

— Comment, ça ne me regarde pas ! Tes hérésies déchaînent le châtiment de Dieu sur ce quartier et tu prétends que ça ne me regarde pas ? Le déluge et l'écroulement des maisons ne t'ont donc rien appris ? Combien d'autres catastrophes te faut-il encore ? » Le père Benito ne s'adressait qu'à Ara, mettant un grand pathétisme dans ses reproches. Malgré sa dureté, le dialogue dénotait cette familiarité indélébile qui subsiste entre deux personnes ayant partagé le même lit.

« Laissez-nous passer, mon père ! lui a demandé Ara, d'une voix un peu trop douce à mon goût.

— Ce garçon ne partira pas d'ici sans que je l'aie exorcisé, a fulminé le père Benito en s'adressant cette fois à l'assemblée. Arrière ! Regagnez vos maisons ! Il a le diable en lui, et nous allons l'expulser, que cela vous plaise ou non ! »

Je ne pouvais plus encaisser ce mélange insupportable d'obscurantisme, de supériorité et d'haleine empestée de nicotine. J'ai eu en un éclair la vision désagréable de la silhouette obscène du curé troussant Ara dans un coin de l'église, puis pourchassant ses enfants pour les ôter de sa vue et fomentant en chaire la haine contre eux. La colère et l'indignation m'ont envahie et j'ai commencé à hurler que s'il ne comprenait pas qu'il n'y avait là aucun possédé, seulement un garçon malade, je l'avertissais que rien ne nous arrêterait, et je l'ai traité d'homme des cavernes et autres gracieusetés que j'ai oubliées. J'étais à peine à la moitié de ma harangue quand la surprise avec laquelle on me regardait m'a fait comprendre que je me mêlais de ce qui ne me regardait pas, et qu'on ne m'avait pas demandé mon avis. Il était évident qu'à ce moment-là, ce que j'avais à dire n'intéressait personne.

Le père Benito n'avait d'yeux et de lunettes que pour Ara et il la reprenait paternellement, lui demandant de cesser de causer des ennuis et lui rappelant qu'il était là pour l'aider. Il en arriva même à la supplier de ne pas être entêtée et d'essayer de comprendre.

Que se passait-il donc ? Dieu que je suis bornée et que j'ai du mal à saisir les motivations des gens ! Ce n'était pas ici un curé en train de morigéner une paroissienne ou un homme qui hait la femme qui l'a laissé tomber, mais un amoureux quémandant une miette d'attention.

« Poussez-vous, mon père (à nouveau la voix d'Ara), ou je vais de ce pas raconter à l'archevêque deux ou trois petites choses que je sais sur vous. »

Il n'y avait pas non plus dans sa voix de véritable irritation, plutôt de la rancune, et je dirais même une pointe de coquetterie. Mais peu importait : nous avons senti, nous, les inconditionnels de l'ange, qu'avec cette menace nous gagnions du terrain et que nous pouvions avancer d'un pas.

« Non, Ara. Tu ne feras pas ça, a dit le curé d'une voix tranchante, et, côté ange, nous avons reculé d'un pas.

— Si, mon père, si je vais le faire (nouveau pas en avant pour nous).

— Je ne te demande que de l'exorciser. Qu'as-tu à y perdre ? Si le démon est en lui, nous le sortons de là et tout le monde est tranquille, lui le premier... » Le ton de Benito était conciliant et, côté civière, nous n'avons ni avancé ni reculé.

« Même morte je ne laisserais pas un de mes fils entre vos mains, mon père, parce que le seul démon qu'il y ait ici, c'est vous ! » (nombreux pas en avant triomphants pour nous).

Le prêtre s'était approché d'Ara et maintenant il lui parlait presque à l'oreille : « Un démon, non, Ara : un homme seul. Un homme que la solitude a détruit. » Je me suis approchée moi aussi parce que je ne voulais pas en perdre un mot. « Et c'est ta faute, Ara, parce que tu ne veux pas faire ce que Dieu commande...

— Ne prononcez pas en vain son nom... »

Ce qui se déroulait ici, au-delà du conflit religieux, était une pure et simple scène de ménage, une dispute entre

deux époux séparés dont l'un veut à tout prix se réconci-
lier, en usant d'autorité là où la séduction fait défaut.

Les trois de la MAFA ont tenté de faire main basse sur
la civière pour s'emparer de l'ange, mais Sweet Baby
Killer les a stoppés net d'un rugissement et son attitude
les a avertis qu'elle n'hésiterait pas à leur casser la figure.

«Ne vous mêlez pas de ça, madame! a crié le curé à
Sweet Baby.

— C'est vrai ça, Sweet Baby, a renchéri Ara. Laisse-
moi régler le problème.

— Par la force, non, les gars. Nous ne résoudrons rien
par la violence.» C'était à présent le père Benito qui cal-
mait les siens.

Le couple ennemi, gêné par la présence de tiers, commençait à donner des signes indiquant qu'il eût préféré
poursuivre sa dispute dans l'intimité.

«Ramène ton fils chez toi, Ara, et viens te confesser à
l'église. Il y a moyen d'arranger les choses.

— Non. Je n'ai rien à confesser et il n'y a rien à arranger.

— Tu ne diras pas que je ne t'ai pas tendu la main.

— Laissez-moi passer, mon père. J'emmène cet enfant
à l'hôpital.

— Je ne bougerai pas d'ici.

— J'irai dire à l'évêque...»

Le curé l'a attrapée par le poignet, et là oui, j'ai vu
briller l'énervement dans ses petits yeux de myope.

«Ne me menace pas, Ara. Dis à l'évêque ce que tu
veux, il ne te croira pas. De plus j'avais le droit d'avoir à
mon service une bonne tridentine. L'Église le permet.

— C'est comme ça que vous appelez ça, mon père?
Bonne tridentine?» D'un geste brusque, Ara libéra son
bras.

«Tu vas trop loin, Ara. Tu t'en repentiras. Tu m'entends?

— Poussez-vous de là, mon père.» La voix d'Ara vibrait.

«Je me tais parce qu'il y a du monde. Mais les choses n'en resteront pas là, Ara. Non, Araceli, sois-en bien sûre.»

Le curé a dégagé le chemin et il a fait signe à ses matons de faire de même.

Nous sommes passées devant lui, hautaines et méprisantes, notre ange invaincu sur sa civière. Nous avons descendu la côte et pendant la première partie du trajet, c'est-à-dire la plus glissante, jusqu'à l'arrêt du bus, Sweet Baby Killer l'a chargé seule sur son dos, en rendant grâce et en disant merci à chaque pas d'avoir l'honneur de le porter.

«Ce n'était pas si terrible après tout, n'est-ce pas, doña Ara? n'ai-je pas résisté à l'envie de lui demander.

— Qu'est-ce qui n'était pas si terrible?

— Votre vie commune avec le père Benito?»

Elle a réfléchi un moment.

«Non. Pas tellement. Si ça n'avait pas été pour mes fils, si ça se trouve, je serais restée avec lui.»

Dans le bus l'ange s'est assis, apparemment amusé de ce qu'il voyait par la fenêtre, et pour la dernière étape, celle qui nous a conduits de l'arrêt du bus jusqu'à l'hôpital, soit quelque quinze cents mètres en territoire de voleurs à la tire et de miséreux, nous l'avons porté à tour de rôle sur la civière. C'est peu de dire que l'effort fut pénible: mon ange paraissait immatériel mais il était plus lourd qu'un sac de pierres.

L'asile des folles était — il n'existe plus — un lieu traditionnel de promenade pour la ville, et pendant des années, faute de meilleure distraction dominicale, les gens

allaient voir les folles comme on va au zoo voir les cha-
meaux. Leur manque de respect pour les internées avait
obligé le directeur à faire graver dans la pierre au-dessus
de la porte une inscription célèbre : « Vous êtes ici dans
la demeure de malades mentales. Nous espérons que
votre conduite sera aussi raisonnable que la leur. »

Les promenades et les visites sans autorisation préa-
lable avaient été supprimées, mais l'inscription était toujours gravée sur le linteau, et nous sommes passées en
dessous, avec notre ange recouvert de sa bâche. Doña
Ara ne montrait aucun signe de faiblesse ou de désir de
faire marche arrière ; moi, au contraire, j'étais tenaillée
par le doute. J'avais l'impression d'avoir arbitrairement
entraîné l'ange sur mes propres voies en l'écartant des
siennes et j'avais peur du résultat. Cet entêtement à vouloir tout organiser selon mon rationalisme allait peut être
crever d'un coup d'épingle la sphère d'un rêve, sans
doute l'unique rêve de tant de pauvres gens.

Je me suis arrêtée un moment pour demander l'avis
d'Orlando, dont j'avais appris à respecter les critères.

« Tu crois que nous avons bien fait de l'amener ici ?

— Je ne sais pas.

— Comment, tu ne sais pas ? Ce serait bien la première fois.

— Je ne sais pas », a répété Orlando qui, hors du péri-
mètre de Galilée, ne maîtrisait plus les situations.

Devant nous s'ouvrait un couloir en carrelage, de ces
petits carreaux à six côtés en trompe l'œil qui forment
comme une fleur, si communs dans mon enfance et qu'on
ne voit plus aujourd'hui. Les patios de la maison de ma
grand-mère avaient un carrelage identique. Je parle de
ma grand-mère maternelle, celle dont j'ai déjà dit qu'elle
est devenue folle. Est-ce qu'il y aurait une relation ? Est-

ce que ces fleurettes hexagonales, répétées à l'infini, seraient le motif qui cache la clé de la folie ?

Une assistante sociale, à qui nous avions demandé le docteur Mondragon, nous a invitées à nous asseoir sur un banc d'église adossé au mur et à prendre patience. Nous nous sommes mises en rang sur le banc indiqué, serrées les unes contre les autres, les mains sur les genoux, comme des orphelines qui vont faire leur première communion, et nous avons attendu longtemps.

L'ange dormait, je me laissais envahir par des pensées aigres-douces, et Orlando, avec un couteau, se livrait à la tâche inutile d'enlever un clou sur l'un des bras de la civière.

Comme nous regardions avec hébétude une dame qui, munie d'un chiffon et d'un seau d'eau savonneuse, nettoyait le sol avec des gestes insensés, l'assistante sociale nous a expliqué : « C'est une des internées. Quand elles sont sages, nous les occupons en leur donnant un travail. »

Nous avons encore attendu. Mon ange s'était un peu réveillé et il souriait avec confiance, perdu dans les brumes de son demi-sommeil. Il ignorait que, tel Judas, j'étais sur le point de le livrer.

« C'est pour son bien, me répétais-je. Pour son bien et pour le mien. »

Bien que je n'aie jamais été une fervente adepte de la médecine, et encore moins de la psychiatrie, j'étais convaincue que cette fois un miracle allait se produire, que le rideau allait se lever sur l'esprit dérangé de mon ange et que nous verrions briller son intelligence. En même temps j'étais atterrée de constater ma médiocrité, ma mentalité si petite-bourgeoise : je préférais que mon amour devienne un homme ordinaire et banal plutôt qu'il reste un ange sublime.

L'assistante sociale était derrière un bureau, en train de noter quelque chose dans son agenda, lorsque le cri d'Orlando l'a fait sursauter : « Madame ! Vite ! La dame qui est sage est en train de boire l'eau du seau ! »

C'était vrai. L'assistante sociale s'est approchée et l'a grondée, en lui répétant, à la manière persuasive d'une mère qui tente de faire manger des légumes à son enfant : « Imelda, il ne faut pas boire cette vilaine eau sale, rappelez-vous que la dernière fois elle vous a fait du mal et que vous êtes tombée malade. Vous vous souvenez ? Donnez-moi le seau, Imelda. »

Imelda s'est montrée très mécontente d'être interrompue dans ses rafraîchissements et elle s'est jetée sur l'assistante sociale. Elle lui aurait volontiers arraché les yeux si Sweet Baby Killer ne l'avait ceinturée jusqu'à l'arrivée de deux infirmiers qui l'ont emmenée. La pauvre assistante sociale en est restée très secouée, comme nous, d'ailleurs.

Nous n'étions pas encore remises lorsque est apparue, au fond du couloir, la Belle Ofelia, un peu décoiffée, avec sa blouse blanche tachée d'une espèce de médicament jaune, et sur le lobe des oreilles, superbes et aristocratiques, une paire d'améthystes héritées de son arrière-grand-mère.

« C'est un peu agité, ici », m'a-t-elle dit en manière d'excuses pour son retard, tout en secouant sa blouse et en essayant de remettre un peu d'ordre dans ses cheveux.

« Où est-elle ? » m'a-t-elle demandé après m'avoir embrassée.

Je lui ai montré la bâche que nous avions rabattue pendant l'épisode du seau, de peur que l'ange ne s'effraie, et Ofelia a soulevé la toile. Appuyé sur un coude, le torse dressé, comme un roi étrusque sur son catafalque, mon beau brun est apparu : massif, somptueux, dans toute sa splendeur.

La Belle Ofelia l'a contemplé en silence et, dans un souffle, elle a murmuré : « Quelle est cette chose divine ? »

Puis elle a ajouté, en me regardant, avec la voix de quelqu'un qui doute d'être éveillée : «On dirait un ange…

— Ben… C'est que c'est un ange.

— Il est dangereux ? a-t-elle demandé à voix basse pour que les autres n'entendent pas.

— Je ne crois pas. Il ne déchaîne que les forces de la nature.

— D'où l'as-tu sorti ?

— Du quartier Galilée. Je suis en train d'écrire un article sur lui.» Mon ton se voulait impersonnel.

«Salut ! a dit Ofelia à l'ange, mais il l'a regardée avec étonnement, et il ne lui a pas répondu.

— Il ne parle pas, l'ai-je avertie.

— Et il ne marche pas non plus ? Pourquoi l'amenez-vous sur ce brancard ?

— Si, il marche, mais il vient, je pense, d'avoir une crise d'épilepsie et il est exténué. Regarde, Ofelia, voilà sa mère, doña Ara, et son frère Orlando. Et ces personnes sont des voisines du quartier qui s'occupent de lui.

— Enchantée, ravie, enchantée, a-t-elle dit en saluant tout le monde. Qu'attendez-vous de moi ?

— Que tu nous dises ce qu'il a.

— Il faudrait le garder ici quelques jours.

— Nous sommes d'accord pour te le laisser, me suis-je avancée, sans savoir ce que doña Ara en pensait.

— Le problème, a dit Ofelia, c'est qu'ici, ce n'est pas un hôpital pour hommes.

— C'est vrai. Mais on dit que les anges n'ont pas de sexe, non ?»

Il n'a pas été difficile de la convaincre de faire pour une fois une entorse au règlement et de prendre mon ange en charge. On l'a recouvert de la toile qui le cachait et les deux infirmiers de tout à l'heure ont soulevé la civière et l'ont emportée vers les profondeurs du couloir. Fermant le cortège, nous avons pénétré, fleur après fleur, dans ce monde pour moi si familier et si redouté d'êtres dévorés par une angoisse qu'ils ne peuvent ni déchiffrer ni partager.

De ce parcours que nous avons fait, je me souviens avec une particulière acuité d'un jardin que nous avons traversé, où j'ai eu la nette sensation d'être dans les limbes. Quelques tiges vertes, sans doute des oignons, poussaient irrégulièrement dans cinq ou six sillons de terre noire entourés de hauts murs. Nous étions à l'intérieur d'un rectangle découpé dans l'espace dont le toit était un morceau de ciel blanc, effroyablement proche. À l'intérieur de ce rectangle de temps suspendu erraient quelques femmes aux mouvements lents et dépourvus de sens qui tenaient à la main une pelle en plastique qu'elles enfonçaient et renfonçaient dans la terre, avec une patience infinie, une résignation absolue, sans se préoccuper des oignons, ni du pourquoi ni du comment.

Ofelia m'a expliqué qu'il s'agissait de patientes affligées de fréquentes crises d'agressivité, qu'elles arrivaient en général à l'asile dans un état de grande agitation après avoir fait du scandale dans la rue et assommé des gens à coups de gourdin, que la police les traînait de force jusque-là et les jetait devant la porte, et qu'il fallait les calmer avec de fortes doses de tranquillisants.

J'avais toujours cru que la folie devait avoir une odeur violente, spécifique, mais ce n'est pas vrai. L'asile était déconcertant parce qu'il ne sentait rien, absolument rien, pas même la crasse. Je marchais dans cet univers lent et inodore comme si mes pieds ne touchaient pas le sol, et je racontais à Ofelia tout ce que je savais de l'histoire de l'ange en omettant, bien entendu, le rôle que j'y avais joué et en lui faisant part de mon irresponsable diagnostic de néophyte en psychologie : « Je crois qu'il fait des crises d'épilepsie et qu'il est enfermé dans une sorte d'autisme, ou d'incommunicabilité profonde, qui étouffe sa prodigieuse intelligence. Il parle plusieurs langues, ça j'en suis sûre, et quand tu es avec lui, tu as l'impression qu'il comprend beaucoup mieux que toi.

— Tu crois vraiment que c'est un ange ? s'est-elle brusquement exclamée.

— Si je te dis oui, tu m'enfermes aussi ? »

Elle a ri : « Sérieusement ?

— Juge par toi-même. »

Elle m'a demandé de le lui laisser quinze jours. On l'isolerait pour l'examiner et lui faire un électro-encéphalogramme, elle l'observerait elle-même attentivement et demanderait l'avis des psychiatres.

« Tu veux que je le laisse ici, tout seul ?

— C'est préférable. »

Doña Ara y était opposée, très affectée parce que c'était la première fois depuis leurs retrouvailles qu'elle devait se séparer de son fils, mais elle a finalement donné son accord pour quatre jours seulement, après qu'Ofelia lui eut solennellement juré qu'elle en prendrait un soin tout particulier et que dimanche à l'heure dite, quoi qu'il arrive, elle le lui rendrait. Ara m'a regardée, comme pour me demander mon avis sur le compromis, et je lui ai serré la main en l'assurant qu'elle pouvait être tranquille.

Nous avons abandonné l'ange au cœur du labyrinthe. Les grilles se sont refermées, les couloirs ont disparu, et nous nous sommes dit au revoir sur le pas de la porte. Sur la demande d'Ofelia qui avait besoin de parler avec elle, doña Ara resterait encore un peu à l'asile. Les autres habitants de Galilée ont repris leur chemin, et moi le mien. Sans lui, nous n'avions plus aucun lieu où aller qui nous soit commun.

Je me souviens, et mon souvenir est colère. Celui qui entrouvre ma mémoire déchaîne ma vengeance.

S'il revit les fleuves obscurs sur lesquels il a navigué, ce jeune être céleste qui dort inoffensif à tes pieds se changera en Roi Épouvantable*, et dans sa gorge mugira la rancune.

Si les ailes du passé me frôlent le front, je perdrai l'impavidité de mes paupières, la transparence de mon sommeil, la paix de mon âme.

Je ne dois pas élucider la devinette de ce qui fut. Comme le fauve que l'odeur du sang rend fou, les souvenirs feraient éclater mes veines.

Laisse le néant épais et blafard recouvrir comme un drap le paysage déjà effacé de ce qui a été. Que toute ombre, tout contour, tout clair-obscur se dissolvent dans l'intensité éblouissante du midi.

Laisse-moi oublier, car avec l'oubli viendra la cécité, et aussi le pardon.

Fasse que ne se réveille pas en moi Israfel, le terrible, l'ange de la Vengeance ; que la haine ne lui fasse pas dégainer son épée.

Fasse que je n'étende pas, moi, Israfel, une main de fer

---

* Nom donné à l'Ange exterminateur dans les textes apocryphes. (*N.d.T.*)

sur la cité coupable, parce que ne survivrait aucun de ses habitants, ni leurs fils, ni les fils de leurs fils, ni même leurs chiens.

Ne méconnais pas le fil de mon épée, car pour elle la vindicte est un devoir sacré, et par trois fois elle s'est abattue sur la nuit de l'humanité. La première nuit, elle ravagea la ville de Jérusalem, en décapitant soixante mille hommes parmi le peuple d'Israël, depuis Dan jusqu'à Bethsabée. La deuxième nuit, elle tomba sur le campement endormi du roi assyrien et tua quatre-vingt-cinq mille de ses hommes, laissant leurs cadavres exposés aux brouillards du petit matin. La troisième et dernière nuit, elle égorgea les premiers-nés des Égyptiens. La quatrième nuit, voyant l'effroi répandu sur le monde, le Seigneur mon Dieu, commandant en chef des armées célestes, prit pitié de ses serviteurs, et voici l'ordre que je reçus de sa bouche lasse : «Il suffit, Israfel, ange exterminateur, retire ta main, rengaine ton épée. La colère de ton Seigneur est apaisée.»

Si, la cinquième nuit venue, j'apprenais que sonne l'heure d'un nouveau châtiment et si je dégainais mon épée, qui pourrait supporter le réveil de la grande colère ? Tout le feu, la pluie, la grêle, les rats, les crocs des bêtes fauves, le venin des scorpions et des serpents, tous les incendies, les plaies de la lèpre, la corde du pendu, tout châtiment s'abattrait et par moi serait exécuté.

Je suis Israfel et j'ai oublié ma tâche et mon nom : ne souhaite pas que je m'en souvienne.

Je répandrais sur la ville homicide une pluie de sang pour chaque outrage reçu. Mon déchaînement serait tel que les descendants des hommes préféreraient mourir et rechercheraient la mort, et elle fuirait à leur approche.

Je suis Israfel, comblé d'offenses, empli de douleur. J'étais une plaie vive et j'ai teint de rouge tous les fleuves où je me suis baigné. Ma tristesse était plus vaste que le ciel.

Ne réveille pas celui qui dort sous ma peau. Laisse-moi être sourd, et muet; laisse-moi être innocent, ignorant, ingénu. Ou je serai un assassin.

Je suis Israfel et j'ai perdu le souvenir. Ne me force pas à le chercher, car le tumulte du passé annihilerait la paix du présent, en réduisant en cendres la cité qui s'étend en bas.

Ne fais pas tinter la cloche qui éveille mes sens, laisse hiberner la bête blessée qui est en moi.

Je m'assois dans le dernier recoin du ciel, replié sur moi-même, l'âme anéantie, les yeux serrés pour oublier ce qui a eu lieu. Je m'enfuis de moi-même et de ma propre histoire, je me cache en moi-même.

Je suis Israfel : ne m'appelle pas, ne me provoque pas ou tu me verras implacable.

Ainsi, paisible et absent, je suis bien. Dans la couleur blanche je trouve le repos. Laisse-moi dormir. Laisse-moi flotter. Je ne veux que naviguer sur les eaux insipides de l'oubli.

En partant à la recherche du passé de mon ange, j'ai cru que j'allais rencontrer le ciel et je me suis retrouvée en enfer. Cette remontée du temps a commencé à l'aube de la journée de jeudi, alors que j'étais encore endormie. J'étais en train de faire le plus accablant de mes rêves récurrents : je dînais chez ma mère — morte depuis des années dans la vie réelle — et elle posait devant moi un grand nombre d'assiettes et de plateaux qui ne contenaient aucun aliment. J'essayais de lui expliquer, sans la vexer, que je ne pouvais pas manger puisqu'il n'y avait rien, lorsque la sonnerie du téléphone m'a réveillée en sursaut. C'était la Belle Ofelia.

« Il est arrivé quelque chose ? ai-je crié, encore à moitié empêtrée dans les plats vides de ma mère.

— Tout va bien. Ton ange a passé une bonne nuit et ce soir nous l'emmenons dans un centre médical pour les examens. Je t'appelais pour te faire part de quelque chose. Un détail. C'est peut-être vrai ou faux, je n'en sais rien. Ça peut t'intéresser.

— Évidemment que ça m'intéresse. Dis-moi.

— Il s'agit d'une malade de l'hôpital. Elle s'appelle, ou se fait appeler, Matilde, veuve Limón. J'aimerais que tu parles avec elle. Elle m'a assuré hier qu'elle avait déjà vu ton ange.

136

— Sans doute à Galilée.

— Mais non, ce qui est bizarre, c'est qu'elle n'est jamais allée là-bas.

— Où, alors ?

— Je préfère que ce soit elle qui te le dise. Va à l'asile et demande-lui de te raconter.

— Tu veux que je parle à une folle ?

— C'est une schizophrène paranoïde.

— Et si elle invente une histoire délirante ?

— C'est le risque. Mais n'empêche que je t'ai donné une piste. Ce serait vraiment utile de connaître un peu le passé de ce garçon. »

En parlant avec Ofelia, j'ai plusieurs fois été sur le point de lui demander, mine de rien, si, puisque j'allais à l'asile, je ne pouvais pas, en passant, rendre une petite visite à l'ange. Mais je me suis mordu la langue pour m'en empêcher, un parce que j'étais sûre qu'elle allait me répondre qu'il ne valait mieux pas, et deux parce que je serais morte de honte si elle en était venue à soupçonner que j'étais motivée par un amour éperdu et non par la charité, la solidarité humaine, ni même par l'intérêt professionnel.

Une heure plus tard, j'étais en route pour l'asile au volant de la jeep de Harry Puentes qui, parti en voyage, me l'avait prêtée pour une semaine, en échange de quoi je devais arroser, pendant son absence, les plantes de son appartement et nourrir de millet un canari peu chanteur qu'il gardait dans sa cuisine. Raconter mes soucis à doña Matilde, veuve Limon, la schizophrène paranoïde ? Et pourquoi pas. En fin de compte, voilà plus de soixante-douze heures que je vivais de plain-pied au royaume de la folie.

Cette fois, oui, l'odeur était là. Un mélange de haricots bouillis avec de la vitamine C et d'urines rances, persistante malgré la créosote qui essayait de la couvrir et n'y parvenait pas. Entrer dans l'hôpital m'a fait encore plus d'effet que la veille ; le fait de savoir que mon enfant chéri était enfermé dans cet endroit, et non plus errant, tel un paladin, dans sa verte montagne, m'en a sans doute fait découvrir tout le sordide.

Je suis allée trouver Matilde dans la salle des malades chroniques. C'était une scène extravagante, avec des vêtements épars, des pots de fleurs, des poules et autres fac-similés de la vie quotidienne, où chaque femme jouait pour son propre compte son pauvre drame, et où toutes en même temps contribuaient à un unique apogée d'une tension extrême.

De la cour fellinienne de cette salle commune, je ne peux effacer de ma mémoire une vieille aux seins nus qui serrait dans sa main une souris morte, une autre, très affairée, qui m'a informée qu'elle était la représentante légale des agrumes pour l'Amérique latine, et surtout une jeune femme svelte, enveloppée d'une couverture, qui disait être, je m'en souviens, sainte Tomasa Melaza de l'Enfant Jésus de Prague. L'assistante sociale m'a présentée à Matilde, veuve Limón, une dame d'une cinquantaine ou soixantaine d'années qui était habillée comme pour un carnaval, avec des mouchoirs et des chiffons bigarrés autour de la taille, du visage et du cou. Elle s'est d'abord montrée très avenante et enjouée : « Comme c'est joli, ce que vous portez ! (C'était ma veste en daim qui lui plaisait.) Vous devriez me l'offrir. J'ai la même, pas ici non, mais chez moi. Je n'habite pas là, vous savez. J'ai une maison à la campagne. Immense, luxueuse. Pas comme celle-ci ! Demain je repars chez moi et je ne remets plus les pieds ici.

— Formidable, je suis très contente.

— Vous êtes docteur ?

— Non, madame, je viens seulement bavarder avec vous.

— C'est ce qu'ils disent tous, on va bavarder. Pour vous espionner, oui, pour vous enfermer une fois pour toutes. » Le ton de sa voix virait à l'aigre.

« Avant d'arriver ici, Matilde, vous viviez chez vous, à la campagne ?

— Je suis pas venue, on m'a emmenée. Maintenant je veux m'en aller.

— Mais il y a ici des gens très gentils, ils vous soignent…

— Croyez pas ça. Ils font semblant, mais ils veulent pas me laisser mon pigeon. J'ai un pigeon mort, il est mort quand tous les murs là-bas se sont écroulés, et ils me l'ont fait enterrer, ces fils de pute. Vous vous rendez compte. L'enterrer ! C'est pour ça que je veux partir.

— Vous n'avez pas d'amis ici ? » Je cherchais comment aborder le sujet qui me tenait à cœur avant que la paranoïa ne se soit complètement emparée de Matilde.

« Des amis ? Comment je pourrais avoir des amis, ils sont tous dingues ici.

— On m'a dit que vous aviez vu hier un garçon que vous connaissiez déjà.

— C'est mon fiancé. Je m'habille comme ça, avec tous ces bijoux (Matilde me montrait avec fierté ses oripeaux), et les hommes tombent amoureux de moi. Mais ce prêtre qui vient, il veut pas que j'aie de fiancé, il me l'a formellement défendu, il dit que c'est un péché mortel, en fait il est jaloux de moi parce que moi je suis une vraie femme et que lui fait seulement la chochotte, si vous le voyiez en train de caresser les petites mains des hommes, non c'est vrai, je vous jure, c'est la pure vérité, mais on me punit si je la dis.

— Vous vous souvenez du nom du garçon que vous avez vu hier ?

— Vous n'auriez pas un petit peigne à m'offrir ? Le problème, c'est qu'on veut pas me donner de peigne, ou de brosse, et que je suis toute dépeignée, regardez cette tignasse, on a pas le droit de laisser quelqu'un comme ça. »

J'ai cherché le peigne que j'avais dans mon sac et je le lui ai donné. J'ai encore essayé de la faire parler de ce qui m'intéressait mais, chaque fois, nous nous égarions un peu plus, l'expression de son visage devenait plus douloureuse et son angoisse plus forte. Jusqu'au moment où Matilde, veuve Limón, s'est mise à verser un torrent de larmes sans que je puisse savoir comment la consoler, chaque fois que je disais quelque chose c'était pire. Heureusement, un des étudiants qui préparaient ici l'internat est venu à mon secours ; il lui a gentiment retiré le peigne qu'elle tordait avec désespoir, il m'a dit qu'il valait mieux mettre, pour aujourd'hui, un terme à la visite, et à mon grand soulagement, il l'a emmenée.

L'autre assistante sociale, celle dont le bureau était à l'entrée, m'a prêté son téléphone et j'ai appelé la Belle Ofelia à sa consultation. Contrairement à son habitude, elle a répondu pendant ses heures de travail.

« Doña Matilde, veuve Limón, n'a rien voulu me dire, lui ai-je dit.

— Elle ne t'a pas parlé de l'ange ?

— Pas un mot.

— Et hier, elle ne parlait que de ça. Si tu as une heure de libre, déjeunons ensemble. »

Nous sommes convenues de nous retrouver au café *Oma*, à une heure et demie. Dans la jeep de ce bon Harry, je me suis précipitée au journal.

Comme thème de mon prochain article, on m'a refilé

le régime triglycérides, en vogue ces jours-là, qui consiste à ne manger que des protéines, aucun sucre et aucun féculent. Mon rédacteur en chef m'a envoyée interviewer à ce propos, et entre autres, Ray Martinez, l'acteur principal de la mini-série *Nuits d'effroi,* qui prétendait avoir perdu treize kilos en suivant cette méthode. Il était dix heures et demie, j'avais donc le temps d'expédier mon ex-gros avant mon rendez-vous avec Ofelia.

Ray Martinez m'a reçue en peignoir de bain, pendant qu'une masseuse lui pétrissait les omoplates, à la japonaise. Il semblait incroyable que ce monsieur puisse avoir obtenu une silhouette si athlétique en se bourrant de tripes, de friture et de charcuterie. Il a déversé dans mon magnéto une assommante logorrhée sur la problématique alimentaire, le bouddhisme zen et les kilos, et pendant ce temps-là, je pensais à autre chose. J'essayais de deviner ce que Matilde Limón pouvait bien savoir sur mon ange.

Ofelia et moi sommes arrivées en même temps au café *Oma* qui était plein à craquer, et nous avons dû attendre pour qu'on nous alloue une table. On nous a collé en plus de la musique d'ambiance, ce qui fait que nous devions crier pour nous faire entendre.

« Je vais manger ces coquilles de beurre, ai-je dit en les embrochant avec ma fourchette.

— Qu'est-ce qui te prend ?

— Tu sais de qui j'ai fait la connaissance aujourd'hui ? Ray Martinez. Il a maigri en mangeant des graisses.

— Le régime triglycérides. On dit que ça marche.

— Moins que celui de ma mère qui consiste à manger dans des assiettes vides.

— Tu as encore fait ce cauchemar ?

— Cette nuit. Qu'est-ce que tu crois que ça veut dire ?

Que j'ai été privée d'affection maternelle, quelque chose comme ça ?

— Tu t'es sans doute couchée en ayant faim. »

On nous a servi deux soupes à l'oignon bouillantes, et pendant que nous nous battions contre le fromage fondu qui s'étirait de manière impossible, Ofelia s'est décidée à lâcher le morceau.

« Au centre psychocarcéral de la Picota. C'est là que Matilde dit qu'elle a connu ton ange.

— Qu'est-ce que c'est que ça, un centre psychocarcéral ? ai-je demandé en sentant l'angoisse me tordre le ventre, mais en essayant de ne pas paraître trop concernée.

— Une prison pour fous. Celle de la Picota est un endroit effroyable.

— Allez, vas-y, lentement. Dis-moi exactement ce qu'a dit Matilde et ce qu'on peut en croire.

— Comme je te l'ai dit, elle a des moments de lucidité et c'est par ce qu'elle nous a raconté que nous avons pu connaître un peu son histoire. Il semble que son mari ait été dans cette prison.

— Monsieur Limón.

— Oui. Matilde lui a rendu visite chaque semaine pendant des années, jusqu'à ce qu'elle pète les plombs elle aussi. Dès qu'elle a vu ton ange, elle s'est mise à crier qu'elle le connaissait, que ce garçon était un compagnon de chambrée de son mari.

— Elle a mentionné son nom ?

— Le Muet. Elle dit qu'on l'appelait le Muet. »

Ofelia est allée à son hôpital, et moi j'ai appelé une secrétaire, très gentille, de *Somos* et je lui ai demandé deux choses pour le lendemain : un rendez-vous avec une nutritionniste connue pour dire du mal du régime des graisses, et un permis pour entrer au centre psychocarcéral de la Picota.

Profitant de la jeep de Harry, j'ai mis le cap sur Galilée. Orlando devait déjà être sorti de l'école.

« Orlando, lui ai-je demandé en lui offrant une limonade et des chewing-gums à *L'Étoile,* dis-moi tout ce que tu sais sur ton frère. Nous devons reconstruire le puzzle de sa vie, tu comprends ?

— Tout est dans les cahiers de maman.

— Je veux savoir un autre genre de chose. Son enfance, par exemple.

— C'est un mystère, comme le passé du Christ dont personne n'a jamais rien su.

— Essaye de comprendre. Tu es très intelligent. Tu ne crois pas que ce doit être horrible de ne pas avoir de passé ?

— Ah si. Hyper-horrible. J'ai vu un film à la télé sur un type qui était resté amnésique après un accident, et il ne reconnaissait même plus sa femme et ses enfants, alors le type…

— Tu me raconteras ça un autre jour. Maintenant réfléchis. Il doit bien y avoir quelqu'un qui sait quelque chose et qui peut nous aider.

— Alors le type a fichu le camp comme un fou dans les rues, et sa femme croyait que…

— Orlando…

— Bon d'accord. Attendez… Attendez… Ben, peut-être les Muñiz.

— Les Muñiz ?

— Pardi ! Elles connaissent tout, mais alors tout ce qui se passe dans le quartier. Vous savez pas qu'elles sont devineresses ?

— Pas besoin d'être devineresses pour ça, il suffit qu'elles soient pipelettes.

— Ah, l'autre ! Qu'est-ce qu'il faut pas entendre ! »
Orlando faisait la lippe, à la manière des gens de Bogotá,
pour exprimer son dégoût devant mon manque de sens
commun. « Vous savez pas qu'elles savent tout ce qui va
arriver demain ? Et l'année prochaine ? Hein ?

— Ça va. Emmène-moi chez les Muñiz.

— Vous avez des sous, Mona ?

— Un peu. Pourquoi ?

— Parce qu'on va leur dire que vous venez pour ache-
ter des confitures, comme ça, elles se méfieront pas… »

Les Muñiz, Chofa et Rufa, n'habitaient pas dans la ville basse mais dans le quartier chic de Galilée, à deux cents mètres de l'église.

« Mademoiselle Chofa ! Mademoiselle Rufa ! Y a des clients pour les confitures ! » leur a crié Orlando, et il est parti à leur recherche à l'intérieur de la maison.

Je suis restée dans la rue, me laissant gagner par l'ivresse de l'altitude et profitant du somptueux grand angle sur la ville, à peine voilée par quelques lambeaux de brume.

Divers effluves de cuisine me sont parvenus aux narines, par couches, l'un après l'autre, comme la liste des plats sur un menu, si précis qu'ils me permettaient de deviner ce qu'on allait manger dans chacune des maisons de l'îlot. Dans la bleue qui faisait le coin, par exemple, on préparait à coup sûr un plat de bananes, dans celle qui avait un rosier devant la porte, on faisait griller de la viande, dans celle d'en face, on réchauffait un bouillon à la coriandre.

Devant moi est passé un âne transportant du bois et un autre transportant des eaux usées. Puis deux jeunes gar-çons, qui ont jeté un regard envieux sur ma veste en daim ou sur ma personne, ce n'était pas clair. Ils ont dit « jolie petite mère » et se sont éloignés, et sur ces entrefaites j'ai vu revenir Orlando.

Les Muñiz se livraient à la fabrication intensive d'écorces de citron au sirop, dans des marmites en cuivre, sur une cuisinière à charbon. C'était tout une usine qu'elles avaient installée dans leur cuisine, au milieu des bouillonnements et des parfums, avec des fruits frais stockés, des bocaux de récupération sur lesquels elles avaient gratté l'étiquette du produit original, des bocaux déjà stérilisés et prêts à l'emploi, des kilos de sucre, des couteaux, des louches et des passoires, les deux Muñiz qui s'activaient et virevoltaient, ôtant un peu d'acidité ici, jetant une pincée de bicarbonate là, et enfin les rangées de produits finis : confiture de mammée, pâte de papaye, gelée de goyave, tomate en branche en conserve, et même des icaques au sirop. Doux Jésus, je n'avais pas vu d'icaques depuis la maison de maman Noa, ma grand-mère, où l'on en servait une ration à chaque petit enfant dans une tasse en porcelaine anglaise, cinq ou six icaques, duvetées, rondes, couleur lilas. Nous en sucions la pulpe et la guerre se déchaînait dans les galeries (celles en carrelage déjà mentionnées) et les escaliers, avec les noyaux pelés, vlan ! celui qui ne faisait pas attention en recevait un sur le crâne, et pendant ce temps, dans sa chambre, l'aïeule errait en proie aux douleurs de son artériosclérose qui irriguait son cerveau de gouttes de sang trop épaisses, attisait son désir de voir revenir son mari déjà mort, et l'obligeait à chasser avec dégoût toutes ces feuilles mortes qui ne cessaient de pleuvoir sur son lit.

Les Muñiz, qui se sont aperçues de mon état de transe devant les icaques, m'ont demandé si je voulais les goûter, et avant de porter le premier fruit à ma bouche, le souvenir de sa douceur un peu fade m'est revenu nettement en mémoire, comme un résumé de mon enfance.

Les Muñiz formaient vraiment une paire d'étonnantes sorcières, avec leurs tabliers à grandes poches sur le ventre, comme ceux de maman Noa. Rufa gardait le silence et écoutait, tandis que Chofa, qui avait une malformation congénitale de la hanche, bavardait comme une pie. Après les icaques, elles nous ont servi des figues, des mûres, des abricots et une cuillerée de confiture de lait maison, et elles attendaient debout, les poings sur les hanches, qu'Orlando et moi louions leurs mets. Je leur ai acheté de tout : j'en ai chargé une caisse pleine dans la jeep de Harry.

Pendant ce temps, nous bavardions. Pour que Chofa me raconte ce qu'elle savait de l'histoire de mon amour l'ange, je n'ai eu qu'à le lui demander. Mais elle a d'abord voulu qu'Orlando s'en aille et elle l'a chargé d'une commission à l'épicerie, en le gratifiant d'un pourboire.

« Il vaut mieux que l'enfant n'écoute pas », m'a-t-elle dit, sitôt l'enfant sorti à contrecœur.

La première chose que Chofa Muñiz me raconta, c'est que Nicador Jiménez, le père de doña Ara, avait été un ivrogne.

« Il exigeait beaucoup et ne faisait pas grand-chose. C'était une brute sans cœur et remplie d'eau-de-vie, de celle qu'on fabrique artisanalement par ici. Son unique réponse à tous les problèmes était de dégrafer sa ceinture et de se mettre à taper sur quelqu'un, qui que ce soit, à commencer par sa femme. Elle, la pauvre — elle s'appelait Lutrudis —, elle n'était pas méchante, mais elle avait une cervelle d'oiseau apeuré.

— Nicador Jiménez, c'était le grand-père qui a vendu l'ange à des gitans, ai-je dit.

— C'est une légende, il ne l'a jamais donné à des gitans. C'était une façon de parler : chaque fois qu'un enfant disparaissait, on disait que c'étaient les gitans qui l'avaient enlevé. En fait, il l'a donné à garder à une chérie qu'il entretenait au quartier de la Merced. Cette femme, une moins que rien, a élevé l'enfant sans amour, presque sans lui parler, le nourrissant tout juste ce qu'il fallait pour le maintenir en vie. Mais l'enfant grandissait et il était très beau, très doux malgré tout, et il jouait dans son coin avec un pot de fleurs, un petit bâton, un rien lui suffisait. Il passait ainsi des heures et des heures sans ennuyer personne, on dit qu'on ne l'a jamais entendu pleurer. C'est peut-être lorsque le grand-père l'a vu si gentil que lui est venue l'idée de le vendre.

— Donc, il l'a bien vendu…

— Mais pas à des gitans. Je ne sais comment il a entendu parler d'un couple de gens riches, déjà âgés, qui voulaient adopter un enfant colombien. Il a récupéré son petit-fils, il lui a acheté des vêtements, et il l'a ramené chez lui quelque temps pour que sa grand-mère Lutrudis le lave et le nourrisse, car l'enfant avait les cheveux longs, il était sale et sous-alimenté.

— Mais si l'enfant était chez lui, comment doña Ara ne l'a-t-elle pas appris ?

— Don Nicador a fait coïncider l'affaire avec la semaine de retraite spirituelle qu'Ara faisait chaque année dans un couvent de Boyacá et qu'elle ne manquait jamais. Lorsqu'elle est revenue, toute trace avait été effacée et elle n'a jamais su que son fils était passé par là.

— Comment se fait-il que personne ne lui en ait parlé ? Pardon de vous le demander, doña Chofa, et à vous aussi, doña Rufa, mais si vous en avez eu connaissance, comment avez-vous pu ne pas en informer cette pauvre femme qui cherchait partout son fils comme une folle ?

— À cette époque, nous vivions loin d'ici, est intervenue Rufa pour la première et dernière fois. Nous ne connaissions aucune de ces personnes. Tout ce que vous entendez, ce sont les histoires que ma sœur a imaginées ensuite d'après les racontars, mais nous ne sommes sûres de rien.

— Une fois l'enfant bien arrangé et bien propre(Chofa continuait comme si de rien n'était) Nicador l'a présenté aux étrangers et leur en a demandé un prix très élevé. Il savait qu'il pouvait les faire chanter parce qu'ils n'étaient pas mariés, mais frère et sœur, et qu'ils ne pouvaient pas bénéficier d'une adoption légale. Il y a quand même eu marchandage et il a dû se résoudre à un rabais, parce que l'enfant ne parlait pas. Ce rabais, on en a eu vent, parce que don Nica était furieux et que pendant longtemps il a raconté à qui voulait l'entendre que ces sales étrangers étaient des radins.

— La mère d'Ara, cette doña Lutrudis, elle n'a pas eu pitié de sa propre fille et de son petit-fils ? Je ne peux pas le croire.

— Je vous l'ai dit, la seule préoccupation de Lutrudis était que son mari ne l'écorche pas vive à coups de lanière. Mais continuons l'histoire.

— Un instant, doña Chofa. D'où venaient ces gens, vous le savez ?

— D'Europe. Qui sait, c'est très grand là-bas. Et une fois qu'ils ont eu l'enfant, ils ont quitté le pays qui ne leur avait jamais plu. Là-bas, ils ont beaucoup voyagé, ils l'ont fait étudier, et l'enfant a appris à parler, non pas une, mais, à ce qu'on dit, plusieurs langues.

— Finalement, ils l'ont rendu heureux.

— Mais pas très longtemps. La sœur, qui était celle qui aimait vraiment l'enfant, est morte en Europe, et le frère est revenu en Colombie où il avait laissé, paraît-il, des commerces. Mais cet homme était un mauvais coucheur, un vrai caractère de chien, et il était déjà plus vieux qu'il ne faut pour s'occuper d'un gosse. Qui en outre était plus qu'un gosse, parce que d'ores et déjà, il devait avoir onze ou douze ans, d'ores et déjà c'était un colosse. »

À ce point du discours est entré Orlando qui, pour ne pas perdre une miette de l'histoire, revenait en courant avec ses achats. Doña Rufa a proposé de doubler le bakchich s'il lui rapportait du marché quelques brins de persil frisé. Orlando a d'abord réfléchi, puis il a accepté la tractation, mais à ses conditions : qu'on lui serve auparavant un verre d'eau car il avait très soif. Il marquait de larges pauses entre chaque gorgée en espérant que Chofa se mette à parler, mais elle a changé de sujet et s'est lancée dans l'explication de sa formule secrète pour enlever l'acidité des citrons. Dès qu'Orlando est parti en quête du persil, Chofa a poursuivi : « L'enfant avait été timide et renfermé, mais en arrivant à l'adolescence il a joué les tours pendables de son âge. Il a tâté de la drogue, il est devenu accro à la marijuana, et on raconte qu'il volait de l'argent à son père adoptif pour contenter ses vices. Je le tiens d'une de mes amies, une parente de la maîtresse que don Nica entretenait à la Merced. Don Nica, qui était déjà un vieillard cacochyme, arrivait chez son amie en gémissant que les étrangers n'étaient pas des gens de parole. Il semblerait que tant d'années après, le père adoptif exigeait qu'il lui rende l'argent, sous prétexte que le garçon était devenu vicieux. Don Nicador, qui était plus pingre qu'un rat, ne lui a pas lâché un sou et son petit-fils a échoué dans un centre de redressement. C'est là que ma piste s'arrête, à partir de là se perd le fil de mes informations.

— Jusqu'à la réapparition du garçon chez sa mère, il y a deux ans.

— Disons plutôt qu'un garçon est apparu, il y a deux

ans, chez doña Ara. Si c'est vraiment son fils, personne ne peut le savoir. »

J'ai attendu le retour d'Orlando et j'ai embrassé les Muñiz qui, avant de me laisser partir, m'ont offert deux autres pots de confiture. Orlando et moi sommes montés en silence dans la jeep.

Le plausible passé de mon ange se bâtissait sous mes yeux comme un couvre-pieds déchiré, ravaudé au point de douleur.

« Racontez, Mona. C'est mon frère, et j'ai le droit de savoir.

— D'accord. »

Les pires conversations ont toujours lieu en voiture, celle-là n'a pas fait exception. De la manière la moins brutale, en adoucissant les mots, j'ai redit à Orlando ce que j'avais entendu, mais à mesure que je parlais, une ombre de méfiance obscurcissait ses yeux. J'aurais tout donné pour n'avoir jamais rien demandé et ne pas avoir à le répéter maintenant. Mais il était trop tard. Chaque fois que j'essayais d'omettre quelque chose, Orlando s'en apercevait et j'ai dû aller jusqu'au bout.

« Il ne faudra pas dire un mot de tout ça à maman. Ni à personne. »

L'enfant est descendu de la jeep sans me dire au revoir.

J'ai passé la nuit du jeudi entre insomnie et cauchemars, étouffant de chaleur si je me couvrais et morte de froid si je me découvrais, rêvant, à moitié endormie ou éveillée, à un ange enfant, silencieux et abandonné, qui jouait dans un coin. Je me suis réveillée, le vendredi, bien décidée à ne pas aller au centre psychocarcéral et à laisser tomber mes investigations.

Mon intervention dans les événements surnaturels de Galilée les avait réduits à l'humaine misère. Quel sens y avait-il à soumettre l'ange à des thérapies qui le forcent à se souvenir, si ces souvenirs n'étaient que des morceaux de verre effilés qui lui perceraient le cœur, à lui, à sa mère, à son frère, à moi-même et à je ne sais combien d'autres personnes ? Comme j'étais stupide de brûler le mythe d'un ange des cendres duquel je savais que ne pouvait surgir qu'un homme, dans toute sa cruelle réalité.

Je n'avais aucune envie de me lever, lorsque le téléphone a sonné. C'était Ofelia.

« J'ai une bonne nouvelle pour toi. On lui a fait hier un électro-encéphalogramme et une ponction lombaire. L'ange souffre bien d'épilepsie, mais elle est contrôlable. On peut envisager qu'avec la prise quotidienne de médicaments les attaques ne se renouvellent pas. Ce qui lui rendra l'existence plus supportable. »

En raccrochant, j'avais à nouveau l'âme chevillée au corps et, une fois de plus, changé d'opinion. Que se serait-il passé s'il n'avait pas subi cet électro-encéphalogramme ? Les crises se seraient indéfiniment répétées, de plus en plus violentes, le dégradant jour après jour. On ne pouvait, en définitive, dédaigner les remèdes que les hommes essaient d'inventer pour conjurer leurs propres maux. Doña Ara et Orlando devraient comprendre que même si la réalité avait un horrible visage, le masque distordu de l'irréalité en avait un bien pire. Tout ange qu'il soit, il devrait se soumettre à une thérapie qui déchire le voile qui l'aveuglait. Ce n'est qu'en affrontant son passé, si inhumain qu'il puisse être, qu'il se réapproprierait son présent et son avenir. Quant à moi, j'irais au centre psychocarcéral et je continuerais à rechercher la vérité.

On m'avait prévenue que le centre psychocarcéral de la Picota était l'un des plus infâmes trous de la terre, un cimetière pour vivants où l'on jetait les déchets humains et où on les laissait pourrir.

« Je ne crois pas que mademoiselle veuille entrer là-dedans, m'a conseillé le garde qui surveillait l'entrée.

— Mais si, je veux.

— Vous pouvez si vous y tenez, je vois votre autorisation, mais je ne vous le recommande pas. Le moins qu'il puisse vous arriver, c'est d'attraper des poux.

— Tant pis, je veux entrer.

— Toute seule, c'est défendu. Vous devez attendre le garde qui va vous accompagner.

— Il y a quelques années, un jeune homme a été détenu ici, vous devez vous en souvenir, pensez au détenu le plus grand que vous ayez vu.

— Moi, je suis nouveau ici, et en plus j'ai déjà demandé ma mutation. C'est pas un endroit pour les humains. Y a une odeur qui vous imprègne, et ça sert à

153

rien de laver ses vêtements et de s'étriller le corps, parce que cette odeur, rien ne peut l'ôter. C'est pas une vie de travailler ici, c'est pas une vie.

— Il doit y avoir des archives qu'on peut consulter. On ne tient pas un registre des prisonniers qui passent par ici ?

— Demandez à l'administration. Peut-être là-bas.

— Vous ne connaissez pas le nom des personnes qui sont enfermées ?

— Le nom, ils le savent pas eux-mêmes. Vous comprenez pas qu'en plus d'être criminels, ils sont fous ? Comme personne ne les appelle, ils oublient même leur nom… »

Je fermais les yeux, les oreilles et la bouche pour être loin d'ici, j'essayais de ne pas toucher le mur immonde, la grille graisseuse, et j'aurais voulu ne pas fouler ce sol ni respirer cet air imprégné de malheurs. De l'autre côté des barreaux, on ne percevait que l'humidité et l'obscurité, on ne distinguait pas de voix, mais des toux et des sons amortis qui semblaient émaner d'animaux agonisant dans leur tanière. Du fond de l'antre montaient les effluves visqueux de la décomposition et du désespoir et une horrible nausée m'a saisie. Je me tenais aux portes du dernier bas-fond de l'existence, là où l'être humain est réduit à un tas d'immondices, et les forces m'abandonnaient.

De ce côté de la grille est apparu un petit homme borgne qui lavait le sol avec un tuyau d'arrosage.

« Reculez, siou-plaît. Je vais arroser et ça va éclabousser », m'a-t-il avertie, et bien que je me sois reculée, il a éclaboussé mes chaussures.

« Vous avez un parent là-dedans ? a-t-il demandé.

— Heureusement que non. Ça fait longtemps que vous travaillez ici ?

— Pour ainsi dire, depuis toujours.

— Alors vous allez pouvoir m'aider. Est-ce que vous vous souvenez d'un garçon, excessivement grand, qui est resté ici quelque temps ?

— De très grands, si je m'en souviens, y en a eu deux ou trois...

— Celui-là était très brun...

— Ils sont tous bruns.

— Celui-là, on ne peut pas l'oublier, parce qu'il était très beau, essayez de vous rappeler.

— Des beaux, là-dedans, y en a pas. Même en paquet, ça nous ferait pas la sauce.

— Disons un géant. Je crois qu'on l'appelait le Muet.

— Ils sont tous muets. Muets, sourds et crétins. Ils hurlent, ils grognent, mais ils parlent pas. C'est comme ça qu'on devient, ici.

— Une fabrique d'anges... ai-je murmuré pour moi-même, mais le petit homme a entendu.

— Une fabrique d'anges, vous dites ? Ha ! Ha ! Elle est bien bonne. Une fabrique d'anges ! T'as entendu, González ? a-t-il crié au gardien. Elle dit qu'ici, c'est une fabrique d'anges !

— On verra si elle pense la même chose en repartant, a répondu González.

— Le jeune homme dont je vous parle a été prisonnier quelques années et il a réussi à sortir, ai-je insisté.

— Personne ne sort d'ici.

— Celui-là, si.

— Ce serait un miracle. C'est vrai que de temps en temps, quand y a plus de place, on nous demande de faire le ménage et de foutre dehors les plus inutiles. »

J'ai vu s'approcher le garde qui devait m'accompagner et je me suis décomposée. Je ne peux pas, je ne peux pas, je ne peux pas, criait mon cœur, sur le point d'éclater.

« C'est elle, a signalé González au nouvel arrivé.

— En avant ! m'a dit le nouveau, et il a sorti un trousseau de clés et a ouvert la grille.

— Non ! Excusez-moi, mais je ne peux pas, je dois m'en aller. Où est la sortie ? Merci beaucoup, mais non. Je ne peux pas entrer ici. »

Avant de m'en rendre compte, j'étais partie en courant. Je ne sais pas comment j'ai récupéré mes papiers, retrouvé la jeep de Harry, et m'y suis enfermée pour me protéger de l'horreur. J'ai commencé à rouler sans savoir vers où, sans savoir comment. J'étais bouleversée, physiquement et mentalement, et je me fustigeais avec une accusation qui tournait et retournait dans ma tête comme une rengaine enrayée. « Alors, comme ça, tu dis qu'il faut regarder la réalité en face ? Tu en es bien incapable, lâche, mille fois lâche, qui veux obliger un garçon malade à se rappeler toutes les années qu'il a passées en enfer, quand tu n'es pas fichue d'y rester une minute. Ah, il faut regarder la réalité en face ! Eh bien, vas-y, fanfaronne, bonimenteuse de merde, vas-y si tu en es capable ! »

Je ne sais pas à quelle heure je suis arrivée à l'asile. Il fallait que je le voie ou j'allais mourir. J'ai menti aux infirmières, je leur ai dit que j'avais l'autorisation du docteur Mondragon. Je l'avais à présent devant moi, étendu sur un lit trop petit pour lui, plus absent que jamais, enveloppé dans un nuage de distance. On lui avait mis une camisole blanche avec un numéro inscrit au marqueur, et il semblait que cette fois oui, et sans recours, son âme eût abandonné son corps.

« Pourquoi est-il si émacié ? ai-je demandé à l'infirmière.

— C'est la ponction lombaire qui fait ça. Elle est épuisante et provoque de violents maux de tête. Il vaut mieux ne pas rester trop longtemps, pour qu'il puisse dormir. »

J'ai touché ses mains, rugueuses et sèches, et aussi ses pieds, ses pieds parfaits, qui étaient froids et tristes comme des animaux morts. J'ai demandé de la crème à l'infirmière, mais elle m'a répondu qu'il n'y en avait pas.

Je suis sortie dans la rue, et dans l'unique pharmacie des alentours j'ai demandé du sérum physiologique et une crème hydratante pour le corps.

«Je vous recommande celle-là, m'a dit la vendeuse en me tendant un flacon dont l'étiquette disait "Nella", et dessous, "à l'extrait de nard".

— Nella? Je n'ai jamais vu cette marque.

— Ils en font la promotion à la radio. On prononce Nela. Nela avec un seul "l".

— Ah bon. Je peux l'ouvrir?

— Bien sûr.»

C'était une substance épaisse, huileuse, d'un parfum très pénétrant.

«L'odeur est trop forte, ai-je dit. Vous n'auriez pas plutôt de la Nivea? Ou la Johnson pour les bébés?

— Seulement celle-là. Elle est excellente, on en vend beaucoup.»

Je suis retournée à son chevet et je lui ai humecté les lèvres avec le sérum. Il s'est un peu soulevé pour boire deux gorgées d'eau. Il m'a regardée et au fond de ses yeux j'ai vu briller une lueur de reconnaissance qui s'est aussitôt éteinte. Il est retombé sur le dos et je l'ai massé avec la crème très lentement, très profondément, en commençant par les pieds, par l'écorchure récente de sa cheville, comme si c'était le point de départ de la carte secrète de son corps. J'ai mis dans cette tâche tout mon amour, tous mes efforts, comme pour détacher de sa peau la croûte de sa solitude.

«Pardonne-nous, lui murmurais-je, pour tout ce que tu

as enduré sur cette terre. Pardon, pardon, pour tout le mal que nous t'avons fait...

— Quelle merveille ! Qui a apporté des nards ? » L'infirmière en chef faisait irruption comme un ouragan dans la salle. « Ça sent le nard ici ! »

Je lui ai montré le flacon de crème : « C'est ça.

— Ce jeune homme est une merveille, a-t-elle dit en prenant la main de mon ange. Ici, nous sommes toutes amoureuses de lui.

— Ça ne m'étonne pas.

— Mais lui s'en fiche complètement. » Elle a ri, et elle est repartie.

Il était endormi lorsque je l'ai quitté, et en sortant de l'hôpital j'ai eu pour la première fois la certitude que, malgré toutes mes tentatives pour me rapprocher de lui, nous resterions toujours à des galaxies de distance, et qu'on pourrait bien lui faire mille thérapies et traitements sans qu'il cesse d'être un étranger sur cette planète.

En route vers chez moi, prise dans les embouteillages, j'ai pensé à Paulina Piedrahita, mon professeur de sémantique à l'université. Elle racontait que le mot « nostalgie » avait été inventé lorsque les Suisses s'exilaient comme mercenaires loin de leur pays et qu'ils étaient brusquement pris d'une envie désespérée de rentrer qui les faisait grandement souffrir. À cause d'eux, disait Paulina, « nostalgie », qui vient du grec *nostos*, retour, et *algos*, souffrance, est le moment où la pensée retourne à un lieu antérieur, où l'on se sentait mieux.

Les médecins pouvaient dire ce qu'ils voulaient, je savais que la prostration de mon ange n'était pas autre chose que la nostalgie du ciel.

Nous avions décidé, la Belle Ofelia et moi, de dîner ensemble ce soir-là au restaurant *Salinas*, pour discuter à fond de l'ange. Nous étions prêtes à échanger huit jours de salaire contre quelques martinis dry et deux plats de gambas grillées. Mais les événements du jour m'avaient laissée prostrée sur mon lit, l'âme et l'estomac retournés, et les gambas étaient probablement la seule chose qui manquait à mon collapsus définitif. J'ai donc appelé Ofelia pour lui suggérer de nous retrouver plutôt à la maison.

Elle est arrivée à huit heures précises, avec un pain français et une Thermos de consommé de poulet, en assurant que ça me ferait du bien. Elle a allumé le téléviseur, parce qu'elle ne voulait pas rater *Les Feux de l'amour*, la télénovela qui passait à cette heure-là, et j'ai dû attendre que ce soit fini pour la questionner : « Bon, maintenant dis-moi ce qu'il a.

— Impossible de savoir. Il est égaré quelque part entre le retard mental, l'autisme et la schizophrénie. Mais très, très égaré.

— Comment peux-tu dire d'un être qui a produit de pareils écrits qu'il est égaré ? Tu n'en as lu que quelques paragraphes, mais si tu prenais la peine de…

— Une minute, une minute. Si nous entrons dans cette logique absurde, rien ne pourra plus nous en faire sortir. Commençons par les cahiers : ce n'est pas l'ange qui les a écrits, mais Ara. Si tu veux parler des cahiers, alors parlons d'Ara. C'est elle qui correspond au cadre schizophrénique parfait, elle qui entend des voix et le reste.

— En ce cas, il vaut mieux en rester là, parce qu'on n'arrivera à rien. Si tu veux comprendre quelque chose à tout ça, il faut oublier ta logique, elle est parfaitement inutile. »

Un silence gênant, presque hostile, s'est établi. Après un laps de temps prudent, Ofelia a voulu calmer la situation en me demandant pourquoi le sujet me tenait tellement à cœur.

«Il se peut que je sois tombée amoureuse de cet attardé mental, de cet autiste, de ce schizophrène, ai-je répondu grossièrement.

— C'est bien toi. J'aurais dû y penser. Attends…» Elle s'est interrompue brusquement. «Il faut que je rajoute une larme de xérès à ce consommé.»

Un nouveau silence s'est installé. Puis elle a dit : «Voyons, commençons par le début. Par ce passé que nous essayons de reconstituer.»

Je n'avais plus envie de parler. Tout à coup l'histoire me paraissait affreusement ridicule, je me sentais honteuse et je regrettais d'avoir dit la vérité à Ofelia. Heureusement que je ne lui avais pas en plus confessé que j'avais fait l'amour avec lui. Elle se serait au moins évanouie.

«Jusque-là (elle poursuivait toute seule en essayant de rompre la glace) tu n'as que des hypothèses, qui ne sont pas toutes cohérentes. Un grand-père ivrogne et cruel qui se débarrasse de son petit-fils, une femme qui l'élève comme un animal, une adoption qui échoue parce que le garçon devient drogué. En conséquence, un centre de redressement qui a dû être un autre cauchemar, et ensuite sans doute quelque crime, nous ne savons pas lequel, qui le conduit en prison. Comme il est épileptique et drogué, et que certainement sa tête ne fonctionne déjà pas très bien, on l'enferme au centre psychocarcéral, ce qui achève de le rendre complètement fou et dont il parvient à sortir on ne sait comment. Ici, nouvelle ellipse, et ce garçon, qui n'a jamais vécu chez lui, qui n'a jamais vu sa mère, sauf à la naissance, revient chez elle. Il apparaît aux yeux des gens du quartier comme s'il était tombé du ciel, et comme en plus il est beau, étrange, qu'il parle des langues et qu'il a des convulsions, ils le prennent pour un ange et le convertissent en objet de culte. J'y suis ?

— À peu près, sauf un détail. Si, le garçon connaît la maison : le grand-père l'y a emmené pour que sa grand-mère le lave et l'habille avant de le remettre aux étrangers, et même s'il n'y passe que quelques jours, c'est peut-être le seul endroit de ce pays dont il garde un bon souvenir, le seul où il ait été bien traité. C'est pour ça qu'en sortant du centre psychocarcéral, il se débrouille pour y retourner. C'est plausible.

— Plausible, mais peu probable.

— Enfin. Même si sa vie n'a pas été tout à fait celle-là, elle a dû être très comparable. Ça ne change rien.

— Tu sais ce qui arrive aux anges qui ont ce genre de passé ? Quand finalement ils l'affrontent, la haine leur sort à gros bouillons. Une haine, une tristesse et une soif de vengeance tellement monstrueuses que pour les tenir en respect il faudrait leur ôter la conscience. Ces anges-là, la thérapie les rend démoniaques. Sociopathes. Voilà le signe de leur rétablissement.

— Arrête de pronostiquer des catastrophes. On dirait le corbeau du déluge.

— Un corbeau certainement pas, et ne parle pas de cet oiseau de malheur. Bon, suivons le fil de l'histoire. Nous voici arrivées au moment où tu entres dans la vie de l'ange, tu tombes amoureuse de lui, et tu l'amènes à l'asile pour que je le soigne. Qu'est-ce qui se passe maintenant ?

— C'est à toi de me le dire. Tu crois qu'on peut faire quelque chose ? Qu'il y a un traitement possible, à part le changer en diable ?

— Pour être honnête avec toi, je crains que ça ne fonctionne pas avec lui. Nous parlons d'un être qui ne parle pas, qui n'établit aucun contact avec le monde extérieur, qui ne regarde pas les gens, qui ne manifeste aucune affection pour quiconque. C'est un cas désespéré, que veux-tu que je te dise…

— Non, Ofelia ! C'est faux ! » J'étais saisie d'une véhémence de manifestante gauchiste. « Je t'assure que c'est faux. Tu ne le connais pas. Tu n'as aucune idée de la profondeur des sentiments qu'il transmet. Pas seulement à moi, mais à des milliers de personnes qui se déplacent pour le voir. Et ne va pas me dire, comme mon patron, que ce sont des superstitions de pauvres ! Je te parle de quelque chose qui n'est pas rationnel. Il irradie la lumière, Ofelia, et je m'étonne que toi, particulièrement toi, tu ne t'en sois pas aperçue. Il irradie un amour débordant, comme je n'en avais jamais connu auparavant. Voilà sa façon d'établir le contact.

— Attends, attends, on fera de la poésie plus tard. D'abord attachons-nous aux faits. Nous ne savons pas bien de qui nous parlons, mais nous supposons qu'il s'agit d'un être qui a vécu dans des conditions extrêmes de privation physique et sociale qui lui ont causé des lésions irréversibles. Cette épilepsie, sans contrôle pendant si longtemps, a aussi contribué à sa détérioration. Ça me fait de la peine de te le dire, mais il s'agit d'un être humain qui n'atteint même pas le niveau de conscience d'un animal…

— Le problème est bien là, Ofelia, c'est qu'il ne s'agit peut-être pas d'un être humain. Pour Ara, pour Orlando, pour toute une communauté, c'est un ange. L'ange de Galilée. Ne peux-tu comprendre la différence ?

— Non, je ne peux pas comprendre. Honnêtement, je ne comprends rien. Tu sais ce que j'aimerais ? J'aimerais savoir ce que ce garçon signifie exactement pour toi. »

J'ai réfléchi avant de répondre.

« Il est les deux amours, Ofelia, l'humain et le divin, qui auparavant m'étaient toujours arrivés séparément.

— Et il est sans doute plus sain qu'il en soit ainsi, je veux dire qu'une chose soit une chose et qu'autre chose soit autre chose. Et si ce n'est pas plus sain, c'est plus supportable, ma fille, moins accablant… Ce qui me préoccupe, c'est de te voir fourrée dans ce micmac pas possible… Je ne sais pas, tout est trop embrouillé, et en fin de compte cela n'a rien à voir avec la psychologie. Pourquoi ne vas-tu pas plutôt voir un prêtre ?

— Plutôt mourir. On n'a jamais vu un prêtre se préoccuper de ce qui passe dans la tête d'une femme. Ils se contentent de veiller à ce qu'elles ne commettent pas de péchés avec leur corps.

— Mais il y en a qui sont intelligents, progressistes…

— Sur ce chapitre, ils sont tous nuls.

— Alors un prêtre expert en anges.

— Comme qui ? Monseigneur Oquendo, l'archevêque de Bogotá ? Tu sais ce qu'ils font, les archevêques, avec les anges qui descendent sur terre pour rendre les femmes amoureuses ? Ils les plument et les font cuire avec le pot-au-feu. Voilà ce qu'ils font.

— Je ne sais pas comment te le dire sans que tu te fâches. Il me semble que ton ange, c'est à la fois trop et pas grand-chose.

— Et les hommes alors, ils ne sont pas un peu comme ça ? Qu'est-ce que tu dis de ton intellectuel français, celui qui, lorsqu'il n'était pas dans un avion, passait son temps au téléphone ? Ou de Ramírez, dont j'ai été gaga pendant deux ans, et que le travail fatiguait tant que je ne l'ai pratiquement connu qu'endormi ? Ou de n'importe lequel, on peut dresser la liste, tu vas voir. Le fameux Juanca, qui venait chez moi me dire qu'il m'adorait, et qui ensuite allait chez toi te dire la même chose ? Voyons, qui d'autre ? Ah oui, Enrique, un maigrichon qui se piquait de vouloir sauver le monde, et, sans chercher plus loin, ton Santiago, tellement gentil, qui sous prétexte qu'il a plein d'argent et plein de grouillots est convaincu que tout ce qu'il fait est capital... Est-ce qu'il y en a un qui te paraît plus consistant que mon ange ?

— Tu dis du mal d'eux, mais pas du bien de ton ange. Écoute, simplifions les choses, a-t-elle dit pour mettre fin à la discussion. N'essayons pas de conclure aujourd'hui. Je vais l'observer encore quelques jours. Peut-être que le changement d'ambiance, ou la séparation d'avec les siens, l'ont plongé dans une crise plus profonde que d'habitude, qui ne me permet pas... »

L'incapacité d'Ofelia à saisir ce dont il était question m'a estomaquée. Elle s'en est rendu compte et elle a laissé sa dernière phrase en suspens. Un nouveau silence s'est ensuivi.

« Tu sais ce que je vais faire ? ai-je dit enfin, et il y avait un peu de revanche dans le ton de ma voix. Je vais le ramener chez lui, dans son quartier. Là-haut, c'est un ange, alors qu'ici ce n'est qu'un pauvre fou. »

Cette conversation a eu lieu le vendredi soir. Le jour suivant, samedi, Ofelia avait compris.

J'avais passé la matinée au gymnase à noyer mes pensées à coups de pédale sur une bicyclette statique et dans l'agitation abrutissante d'une salle d'aérobic, et vers six heures du soir, après avoir terminé mon indigent papier sur le régime, je me suis mise à regarder le journal télévisé : un supporter de foot qui avait donné un coup de couteau mortel à un arbitre vendu, un employé du fisc qui avait descendu ses deux cousins avec un fusil parce qu'ils faisaient du bruit avec leurs mobylettes, des guérilleros qui avaient massacré des civils en les accusant de soutenir les militaires, des soldats qui avaient massacré des civils en les accusant de complicité avec les guérilleros, enfin la routine, l'habituel manège de mort auquel nous sommes habitués. J'allais éteindre lorsque Ofelia a surgi à l'improviste. Dès que j'ai ouvert la porte, j'ai compris qu'il était arrivé quelque chose.

« Tu as raison, m'a-t-elle dit d'entrée. Ce n'est pas un être ordinaire. Tu n'imagines pas ce qui s'est passé aujourd'hui à l'asile. »

Elle m'a raconté qu'elle avait d'abord croisé le père Juan, un prêtre asturien qui, chaque samedi depuis des années, venait à l'asile pour confesser les internées et leur tenir un peu compagnie. Le père Juan avait rendu visite à l'ange et en revenait émerveillé, en témoignant que ce garçon parlait magnifiquement le grec et le latin.

« Et qu'est-ce qu'il vous a dit, mon père ? avait demandé Ofelia.

— Oui. Qu'est-ce qu'il lui a dit ? ai-je voulu savoir moi aussi.

— Le père Juan, qui est un vieux renard, m'a dit qu'il ne pouvait pas le répéter, à cause du secret de la confession. Mais il m'a affirmé que ce n'étaient pas des sottises. »

Plus tard, Ofelia avait cru percevoir qu'un silence inhabituel planait sur l'asile.

« Que se passe-t-il ? avait-elle demandé à l'un des psychiatres. Pourquoi est-ce si calme ? »

Mais le psychiatre ne voyait là rien d'anormal. Alors Ofelia avait commencé à parcourir les couloirs, certaine que quelque chose de nouveau flottait dans l'air, et elle était entrée dans la salle commune des malades chroniques.

« Ton ange était au milieu de la pièce, et les internées l'entouraient avec une expression tranquille que je ne leur avais jamais vue. Comme si leur âme était en paix. Lui paraissait remplir tout l'espace de sa présence, et je l'ai vu radieux, comme si ses veines étaient des filaments de lumière. Il se mouvait parmi les malades avec un grand calme, un peu comme s'il était filmé au ralenti, posant sa main sur la tête de chacune, sans les regarder, mais avec une affection bouleversante, comme si elles signifiaient vraiment quelque chose pour lui. Elles restaient simplement près de lui, en silence, dans l'attitude sereine de qui se sent bien et n'attend rien. Il ne se passait en vérité rien d'autre, que cet état d'esprit imperceptible aux non attentifs, à tel point que certains étudiants qui étaient là poursuivaient leurs conversations comme si de rien n'était. Mais il était en revanche lumineux pour les malades, bien que la différence ne fût qu'une nuance, un minuscule tour de vis qui transformait cette salle de cauchemar en un lieu aimable, comme baigné de chaude lumière et enveloppé de silence, tellement harmonieux. Si on regardait l'ange, on se rendait compte que toute la paix émanait de lui. »

J'ai servi deux whiskies doubles, un pour Ofelia, l'autre pour moi, et nous avons trinqué, émues, à notre ange, puisqu'il n'était plus à moi seule mais à nous deux. À la différence de la nuit précédente, nous étions toutes deux en phase avec un même non-sens et nous avons pu nous installer confortablement pour une longue conversation absurde, sans queue ni tête, à voix basse pour ne pas réveiller ma tante d'Armero, mais on se comprenait même si le sujet était fuyant et imperméable à la raison.

La boisson faisait son effet et, curieusement, elle faisait plutôt déborder le côté bon Samaritain de la personnalité d'Ofelia.

« Maintenant je sais que nous pouvons l'aider, disait-elle avec l'ardeur d'une Florence Nightingale. Nous devons inventer quelque chose, une façon de le toucher, de provoquer le contact. Qui sait si cet ange n'est pas un messager venu en Colombie pour en finir avec tant de saloperies et tant de massacres, qui sait si nous ne pourrons pas l'aider à accomplir son destin ?… Si ça se trouve, c'est un prophète, ou un grand caudillo. J'irais jusqu'à voter pour lui comme président, il est bien mieux que n'importe lequel de tous ces candidats… Il n'y a que comme mari pour toi que, franchement, je ne vois pas bien…

— Pourtant il fait l'amour comme un dieu !

— Non ! Je ne peux pas le croire ! Enfin, tu dois savoir ce que tu dis. Ah ! mais voilà ! C'est peut-être là, la clé, une thérapie sexuelle !

— Pourquoi pas. Tout, sauf ta psychologie. Il est prouvé qu'elle ne vaut rien.

— D'accord, on écarte la psychologie, ça ne marche pas, ni dans son cas ni dans un autre. Mais on peut essayer autre chose, le spiritisme, l'hypnose… le jeûne, la méditation…

— Seulement le *trisagion*, crois-moi. Il a déjà fait ses preuves : on n'a qu'à répéter saint, saint, saint est le Seigneur, et ça marche ! Tu ne vois pas que c'est un ange, Ofelia ? Un ange, répète avec moi, un ANGE.

— Même si c'est un ange, il habite quand même sur cette terre, dans cette ville de Santafé de Bogotá, et il doit apprendre à parler espagnol. À vivre par ses propres moyens, à lire…

— Tu veux dire que si on apprend à quelqu'un qui parle couramment le grec et le latin à ânonner "m-a ma, m-e me, m-i mi", on le sort d'affaire ? S'il te plaît, Ofelia, pas de vantardise.

— En tout cas, comme fiancé, ça ne marchera pas, a-t-elle dit en sortant de sa manche un dernier argument de dissuasion. Il a au moins douze ou treize ans de moins que toi… Il doit avoir au plus dix-huit ans, peut-être dix-sept.

— Et qui te dit qu'il n'a pas quatre ou cinq mille ans de plus que moi ? Qui peut calculer l'âge d'un ange ?

— Tu es indécrottable », a soupiré Ofelia, et nous nous étions déjà séparées à la porte, vers dix heures du soir, quand elle est revenue. J'ai pensé qu'elle avait oublié son imperméable, ou autre chose, mais non, elle est retournée s'asseoir dans un fauteuil.

« Qu'est-ce qui t'arrive ? ai-je demandé.

— On ne s'est pas encore dit le pire. Viens, assieds-toi, il vaut mieux tout sortir d'un coup. »

Je me suis préparée à écouter, comme on ouvre la bouche chez le dentiste pour se faire arracher une molaire.

« Je te l'ai déjà dit, mais je te le rappelle. La guérison, si on peut l'obtenir, mais à cette heure de la nuit je suis prête à croire qu'on peut l'obtenir, fera que ton ange deviendra humain. Trop humain, tu comprends ? Ce regard diaphane qu'il a va se troubler. Il est bon que tu le saches. »

VI

Le grand Uriel, ange proscrit

La vie fait les choses à sa manière et à son gré, et quoi que nous puissions planifier ou prévoir, c'est elle qui a le dernier mot. Une nouvelle démonstration m'en fut apportée le dimanche, à trois heures de l'après-midi.

À cette heure-là, nous avions décidé, Ara, Ofelia et moi, de nous retrouver à l'asile, moi avec la jeep de Harry, pour ramener l'ange à Galilée, au cas où doña Ara ne veuille pas revenir sur les conditions qu'elle avait imposées en le laissant. Quoi qu'il en soit, Ofelia et moi devions lui faire admettre la possibilité de soumettre son fils, pendant quelques mois, à un traitement psychologique et médical systématique. À vrai dire, cette idée ne m'enthousiasmait plus vraiment, et moins encore Ofelia, mais nous savions toutes les deux qu'il était plus équitable de laisser à la mère le soin de la décision.

Je suis arrivée en retard, vers trois heures vingt, parce que j'ai été retenue chez le coiffeur où je me faisais faire un bain d'huile, un balayage, un épointage et toute la série de soins que ma chevelure requiert et qui me prend plus de temps qu'un enfant débile. Ou qu'un fiancé débile, serait-il plus juste de dire dans ce cas.

En arrivant, je n'ai pas trouvé doña Ara, et ce fut le premier indice, non enregistré sur le coup, que la réalité me filait entre les doigts. Ofelia est venue à moi, ses talons claquant sur le carrelage déjà mentionné — celui dont j'ai dit qu'il renfermait la clé secrète d'une fugue —, et j'ai vu de loin, sur ses traits de médaillon antique, que quelque chose n'allait pas.

« Il est parti, m'a-t-elle dit.

— Qui est parti ?

— L'ange. Tôt ce matin ou hier soir. Il s'est envolé.

— Comment ? !

— Personne ne sait comment. L'hôpital et ses issues sont très surveillés, sortir d'ici sans autorisation est très difficile, théoriquement infaisable même. Mais il a réussi. À sept heures du matin, une infirmière a constaté qu'il n'était plus là. Tout le monde s'est affolé, on l'a cherché partout, jusque sur le toit, sans résultat. Impossible de savoir où il est passé.

— Ce n'est pas vrai ! Mon Dieu ! Il ne peut pas être enfermé quelque part dans des toilettes, se cacher sous un lit, ailleurs ? Il faut le retrouver Ofelia, coûte que coûte ! Qu'est-ce qu'on va dire à sa mère ? Que son fils s'est volatilisé ? Si cette femme perd son fils pour la deuxième fois, elle en mourra !

— Calme-toi. Tu as la jeep ? Allons-y ! Il ne doit pas être loin. Nous avons déjà appelé la police et nous avons passé la matinée à le chercher. Mais à pied, c'est inefficace. Avec la jeep, ce sera plus facile.

— Comment se fait-il que tu ne m'aies pas prévenue plus tôt ? À l'heure qu'il est, va savoir où il se trouve, ce qui a pu lui arriver depuis le temps qu'il se balade. Ah, mon Dieu, pardonne-moi, c'est ma faute, c'est ma faute, pourquoi faut-il que ce soit toujours ma faute !

— Je l'ai appris vers huit heures et je suis venue tout de suite. Je t'ai appelée plusieurs fois, mais tu….

— C'est vrai, quelle misérable, je suis sortie de bonne heure faire du vélo. Allons-y, ne traînons pas. Mais tu te rends compte ? ai-je dit anéantie. C'est comme chercher une aiguille dans une botte de foin. Ou retrouver une bague dans la mer… Et pourquoi pas ! Toi, tu le peux, Ofelia ! l'ai-je secouée, emportée par une vague d'optimisme. Si tu l'as fait une fois, tu peux le refaire… »

Nous nous sommes ruées dehors comme deux folles et nous avons entrepris de sillonner toutes les rues du voisinage, en interrogeant tous les restaurants, les parkings, les garages, les échoppes de photos instantanées, les maisons de rapport minables et les débits ambulants. Nous l'avons cherché, au péril de notre vie, jusque dans les sinistres officines de crack de la rue du Cartucho et chaque fois que nous voyions un clochard vautré sur le sol au milieu d'un tas de haillons, nous vérifiions que ce n'était pas lui. Mon angoisse horrible me paraissait bien mince à côté de celle d'Ara : durant ses dix-sept ans de recherches, combien de fois n'avait-elle pas foulé ces mêmes lieux, dévorée par une anxiété encore plus grande, animée par un espoir encore plus ténu.

Dans l'affolement de notre entreprise de sauvetage, j'ai été prise d'une frénésie de paroles incoercibles et décousues, dont le refrain insistant était que pour moi cette journée était de bout en bout maudite.

« Dès mon réveil, ai-je rapporté à Ofelia, je suis allée nourrir le canari de Harry, et devine quoi, je l'ai trouvé mort.

— Mort ?

— Mort. Les pattes en l'air dans sa cage, raide comme un passe-lacets. Harry va croire que je ne lui ai pas donné à manger, ou que je lui en ai trop donné. Quelle honte.

— Achètes-en un autre et remplace-le, il ne s'en rendra pas compte.

— Tu crois ?

— Tous les canaris se ressemblent. En plus, ne t'inquiète pas, au fond, c'est de bon augure. Jette le cadavre dans les toilettes et n'y pense plus, rien ne porte plus la poisse qu'un canari en cage. »

Mon ange s'était évaporé sans laisser de trace. La ville affamée l'avait dévoré, l'avait englouti dans sa couverture crasseuse, et nous ne savions plus que faire pour qu'elle nous le rende. Quelle chance avait un ange du ciel de survivre dans cette Bogotá d'épouvante qui empile les ordures sur les trottoirs, et les morts inconnus dans les terrains vagues ? Une sur dix peut-être, ou une sur cent.

Vers cinq heures du soir, alors que nous étions déjà prêtes à renoncer, j'ai eu, en désespoir de cause, l'idée d'un ultime recours : amener au centre tous les gens de la ville basse et les envoyer à la recherche de l'ange, pâté de maisons par pâté de maisons, organisés en brigade et coordonnés depuis un quartier général qui serait l'asile. Deux ou trois cents personnes réussiraient, là ou deux n'avaient pas suffi.

La chose a paru absurde à Ofelia.

« C'est une entreprise cyclopéenne, a-t-elle dit. Comme la construction des pyramides. »

Mais comme elle n'avait pas de solution de rechange, nous sommes revenues à l'hôpital chercher Ara et lui proposer mon plan d'urgence. Nous étions presque arrivées lorsque mon œil a détecté, à cinquante mètres de distance, un objet qu'on ne pouvait confondre, dont il ne pouvait exister qu'un seul exemplaire au monde, la cape en velours bleu roi de Marujita de Peláez, qui avançait vers nous, flottant sur les épaules de sa propriétaire.

« Mademoiselle Mona ! criait-elle, Dieu soit loué !

— Qu'est-ce qu'il y a ? »

Marujita de Peláez nous a rejointes, mais sa course l'avait tellement essoufflée qu'elle était incapable de dire un mot.

« Pour l'amour du ciel, dites-nous ce qu'il y a !

— L'ange est arrivé au quartier ce matin et il était accompagné d'une foule de gens !

— L'ange ? Notre ange ? Il est arrivé sain et sauf ? Au quartier ? Comment ? Quand ?

— Ce matin vers onze heures. Il était si beau qu'on aurait dit une apparition, et il ne venait pas seul mais au milieu d'une multitude qui s'attachait à lui et marchait à sa suite en célébrant ses louanges.

— Vous voulez dire qu'il a marché depuis l'asile jusqu'à Galilée ?

— Il semble que oui, Mademoiselle Mona, et si on en croit les gens qui l'ont accompagné, il a traversé tous les quartiers de la montagne jusqu'en haut, en attirant de plus en plus de fidèles.

— C'est impossible !

— Mais si, Mademoiselle Mona, c'est comme je vous le dis. Parfois il marchait, parfois on le portait sur les épaules, les gens criaient "Vive l'ange du Seigneur !", les autres répondaient "Vive !" Il semblait heureux au milieu d'eux, comme s'il savait que toute cette fête était en son honneur. Mais comme ni Mademoiselle Mona ni le docteur Ofelia n'étaient avec lui, et comme doña Ara avait un rendez-vous avec vos personnes à trois heures, elle m'a demandé de venir vous informer que l'ange était déjà là-haut, au cas où vous ne le sachiez pas et que vous vous fassiez du souci. »

J'ai embrassé Ofelia et ensuite Marujita, partagée entre la joie de la nouvelle et la rancune contre mon ange qui m'avait fait passer un si mauvais moment, et puis j'ai de nouveau embrassé Ofelia en répétant : « Tu vois ? Qu'est-ce que je te disais ? Tu vois bien qu'à chaque fois qu'il s'échappe de quelque part, il retourne chez lui. »

En un tournemain, j'ai installé Marujita dans la jeep.

«Nous allons tout de suite à Galilée, ai-je annoncé. Tu viens avec nous, Ofelia ?

— On y va. Attends juste une seconde, que je prévienne l'asile de faire cesser les recherches.»

Contrairement à nos prévisions, nous sommes arrivées dans un Galilée désert, absolument vide, comme seuls peuvent l'être les lieux qui peu de temps auparavant ont été combles, et plongé dans un silence tendu, faux, étalé comme une couche de peinture sur le fracas antérieur. Rue par rue, nous avons cherché sans succès les foules disparues.

«Il s'est passé quelque chose de vraiment bizarre», avons-nous commenté.

Nous avons vu un groupe de policiers qui patrouillaient l'arme au poing, sur les nerfs, l'œil aux aguets, comme s'ils craignaient à tout moment de prendre une volée de pierres sur la nuque. Devant nous est passé comme une ombre un jeune garçon qui se tenait la tête à deux mains et avait le visage en sang.

«Quelque chose de terrible est arrivé…»

Le terrain de football, couvert de pierres, de bouteilles cassées et de chaussures dépareillées, était le noyau de la désolation, le champ de bataille abandonné de quelque guerre perdue.

«Ils étaient là, disait Marujita de Peláez en se frottant les yeux pour être sûre qu'elle ne rêvait pas. Je jure devant Dieu que c'est là que je les ai laissés, l'ange et toute sa suite…»

Nous avons vu d'autres policiers qui traversaient le terrain avec prudence, comme s'ils craignaient de faire du bruit avec leurs bottes.

«Je vous jure qu'ils étaient ici, avec une foule énorme…»

Ce Galilée désertique me rappelait celui du jour de

mon arrivée, mais en pire, parce que aujourd'hui il n'y avait même pas de pluie, seulement le silence et la brume, et ces policiers effrayés qui le rendaient encore plus fantomatique.

Un sergent moustachu s'est arrêté pour nous demander nos papiers.

« Veuillez me déplacer l'unité ! m'a-t-il ordonné.

— L'unité, c'est ma voiture ? ai-je demandé.

— Affirmatif. Vous n'avez rien à faire dans la rue. Vous ne savez pas qu'il y a couvre-feu ?

— Non, je ne savais pas. Je ne suis pas au courant. Vous pouvez me dire, s'il vous plaît, ce qui s'est passé ?

— Atteinte à l'ordre public. Circulez, circulez, je vous ai déjà dit de déplacer l'unité.

— Je vous demande juste une minute. Cette dame vit ici dans ce quartier et nous l'accompagnons chez elle.

— Qu'elle rentre à pied, et vous, faites demi-tour.

— C'est qu'elle est malade. Vous ne voyez pas qu'elle est très malade ? »

Le sergent s'est penché pour examiner Marujita de Peláez qui, sur le siège arrière, lui a présenté sa meilleure tête de moribonde.

« Bon, vous l'emmenez, et tout de suite après vous partez.

— Au fait, à quelle heure commence le couvre-feu ?

— À sept heures précises.

— Mais il n'est que six heures et quart, j'ai droit à quarante-cinq minutes de plus. »

J'ai approché la jeep le plus près possible de la ville basse et je l'ai garée dans un passage. Nous avons décidé qu'Ofelia et moi monterions à pied jusque chez doña Ara, et que pendant ce temps Marujita resterait pour garder la voiture, au cas où la bagarre reprendrait ; je n'avais aucune envie de la rendre brûlée à Harry, ou bombée

175

d'inscriptions du genre «Patrie ou Mort, Nupalom*, Milices bolivariennes», etc. Voiture détruite et canari mort : une punition un peu excessive pour Harry qui n'était coupable de rien.

La porte d'une maison s'est entrouverte et une petite femme a passé la tête, elle a humé l'air comme une souris qui veut s'assurer de l'absence du chat, elle a regardé la jeep, a reconnu Majurita de Peláez et s'est approchée, drapée dans son châle et dans son air de conspiratrice.

«Qu'est-ce que vous faites dans la rue, ma fille ? a-t-elle demandé précipitamment en écarquillant les yeux. Il vaut mieux rentrer chez vous, tout ça est bien laid.

— Nous allons chez Ara, a répondu Marujita.

— N'y allez pas, il n'y a personne. Ils ont tous fui dans la montagne.

— Qu'est-ce qui s'est passé ? suis-je intervenue, mais la femme ne m'a pas entendue, elle avait déjà couru se réfugier derrière sa porte.

— Allons-nous-en, a dit Ofelia. Nous n'avons rien à faire ici. Retournons en ville.

— Pas encore », ai-je protesté, résolue à monter coûte que coûte à la maison rose, parce que j'avais la conviction que je pourrais y trouver mon ange. Je savais que c'était lui le responsable du branle-bas du quartier et j'étais décidée à le ramener chez moi, au moins pour un temps, en attendant que le danger soit passé.

«Ne fais pas ça, m'a conseillé Ofelia. Le danger ne passera pas du jour au lendemain, et en revanche, qu'est-

---

* NUPALOM. Acronyme d'origine mystérieuse qu'on trouvait écrit sur les murs de l'université de Bogotá dans les années 70 et qui signifie : «Ni Un Paso Atrás-Libertad O Muerte» (Pas un pas en arrière. Liberté ou mort). *(N.d.T.)*

ce que tu feras, toi, une fois que ton amourette t'aura passé ? »

Je lui ai répondu avec une douloureuse sincérité que ce n'était pas une amourette mais la passion de ma vie, mais à mesure que je gravissais la pente d'une ville basse abandonnée même par les chiens, et dont il ne subsistait pas une vitre en bon état, je me sentais de plus en plus accablée. Comme si je portais sur le dos une énorme gibecière. C'est le poids trop lourd de cet amour inconcevable, me confessais-je à moi-même, et je me demandais jusqu'à quand je serais capable de le supporter.

En arrivant à la maison d'Ara, nous avons trouvé la porte ouverte et battant au vent.

« Ara ? Doña Ara ? »

Personne ne répondait, mais j'ai cru entendre à l'intérieur des pas légers comme ceux d'un enfant, ou d'un gnome.

« Orlando ? Orlando ? »

Rien.

« Au nom de Dieu tout-puissant ! a crié Ofelia d'une voix théâtrale. S'il y a quelqu'un ici, qu'il réponde ! »

Toujours rien. Même les pas s'étaient tus, et nous avons pénétré à l'intérieur de la maison envahie d'ombres, en esquivant d'obscurs et doux objets. Il y avait une odeur de poêle froid et un silence de radio éteinte.

Ainsi que l'avait annoncé la connaissance de Marujita, nous n'y avons pas trouvé âme qui vive. Le patio, le lavoir, le lit d'Ara, auparavant si chargés pour moi de présence, flottaient dans l'air paisible, glacés et inutiles, comme résignés à l'abandon.

« Et les pas ? a demandé Ofelia. S'il n'y a personne, à qui appartenaient ces pas ?

— Aux souvenirs, qui se sont envolés par la fenêtre », ai-je répondu, croyant voir poindre, à ce moment précis,

177

la fin de mon intense et bref passé avec l'ange, et commencer mon long et infini présent sans lui. Le vide m'a mordu les entrailles, mais en même temps, si je veux être honnête, un soulagement secret m'a rafraîchi l'esprit.

J'ai avancé à tâtons jusqu'à la malle aux cahiers, résolue à me les approprier, à les emporter avec moi car ils étaient mon patrimoine, ils avaient été écrits pour moi, ils constituaient pour toujours mon legs d'amour. Je les garderais dans mon appartement jusqu'à ce que je puisse les faire publier, je les lirais nuit après nuit pour comprendre la signification de chaque mot, dit et non dit.

Mes mains ont trouvé le cadenas qui était ouvert. Elles ont levé le couvercle et ont exploré l'intérieur, palpant l'espace obscur, mais elles n'ont rien trouvé. Petit à petit elles ont avancé dans le vide, chaque pore en alerte, anxieuses d'entrer en contact avec le papier. Rien. J'ai répété l'opération pour m'en assurer, et le résultat fut identique : rien.

Je me suis assise, vaincue, sur le couvercle pour m'avouer la vérité : le coffre avait été mis à sac et, quelques mètres plus bas, le père Benito était en train de jeter à la fournaise les cinquante-trois cahiers, ou bien l'officier aux moustaches les répertoriait et les archivait dans un poste de police, en tant que matériel subversif. Je me suis alors emparée de ce chat à neuf queues qu'est mon complexe de culpabilité et j'ai commencé à m'en lacérer : pourquoi ne les avais-je pas emportés avant ? Il n'y avait que moi, seulement moi, pour tomber sur un pareil trésor et le négliger de la sorte, le mépriser comme si j'allais le récupérer au premier coin de rue.

C'était comme s'il n'y avait pas eu de cahiers, comme si c'était une invention et qu'ils n'aient jamais existé. Pas plus que les habitants du quartier, l'ange, Orlando, le comité. Les personnages et les événements de cette dernière semaine s'échappaient de ma vie comme s'évapore l'image fascinante un instant captée par le kaléidoscope, comme s'efface involontairement un texte de la mémoire d'un ordinateur lorsqu'on a appuyé sur la mauvaise touche.

Nous sommes revenues à la jeep de Harry, mais là aussi le néant, tel un balayeur fou, nous avait précédées. Marujita de Peláez n'y était plus. Avait-elle pris peur ? S'était-elle précipitée chez elle pour nourrir ses animaux ? Avait-elle été arrêtée par la police ?

Nous l'avons appelée, d'abord avec des cris timides qui gravissaient la rue et en redescendaient, poursuivis par leur propre écho, puis à tue-tête. Mais personne n'a répondu. Nous avons voulu questionner la dame au châle, mais personne ne nous a ouvert la porte. Il était écrit que ce jour-là Galilée me demeurerait hermétique, refermé sur son mystère.

En arrivant à *L'Étoile*, j'étais sans illusions, sachant que le virus effaceur avait attaqué tout l'écran. Je ne me trompais pas. J'ai trouvé la boutique fermée et barricadée, presque invisible dans l'anonymat de ses volets clos. Il était inutile de frapper à la porte, il n'y aurait pas de réponse.

Juste à ce moment, mon œil a été attiré par un reflet d'un bleu absolu qui venait du plancher de la jeep et je me suis baissée pour le ramasser. C'était la cape en velours qui avait tenu à rester pour être l'exception qui justifiait la règle de mon illusion d'optique.

Je suis restée au milieu de la rue avec la cape entre les mains, et j'ai respiré quand il a commencé à pleuvoir. J'ai accueilli avec gratitude ces gouttes fades qui tombaient, salvatrices, sur les braises de mon angoisse. Ce qui vient par l'eau repart avec elle, me disais-je, et le son creux de cette phrase toute faite m'a tenu lieu d'explication.

Au fond, derrière moi, s'étendait la ville muette et apaisée par la distance, et devant moi s'élevait, impénétrable, enveloppée de longues barbes de brume, la montagne qui peut-être cachait et protégeait mon ange, ses gens et son histoire, celle qui, pendant une semaine entière et éternelle, avait aussi été la mienne.

Un vent humide venu des eucalyptus m'a apporté une apaisante bouffée de fraîcheur et m'a soufflé à l'oreille un bref message : il est maintenant hors de ta portée et il n'est plus impératif que tu l'aimes, ni qu'il t'aime.

J'ai compris et j'ai consenti. Ce qui était important n'était pas de l'avoir près de moi mais de le laisser libre pour qu'il soit sauvé, pour qu'il vive. Qu'il puisse accomplir la tâche pour laquelle il était venu, quelle qu'elle soit et pour indéchiffrable qu'elle puisse être à mes yeux. J'ai su, sans en souffrir, qu'aujourd'hui était le jour de l'adieu.

« Hâte-toi, mon bien-aimé ! Fuis sur la montagne ! » J'aurais voulu lui crier ces paroles, les dernières du Cantique des cantiques, que je n'avais plus entendues depuis que mon aïeul belge me lisait les Écritures, et qui maintenant me revenaient en mémoire.

La voix d'Ofelia m'a tirée de ma rêverie.

« Il faut faire quelque chose, m'a-t-elle dit en énonçant le lieu commun le plus utilisé dans ce pays quand, face aux catastrophes, il n'y a justement plus rien à faire.

— Mais quoi ?

— Je ne sais pas, quelque chose. Je le dis pour doña Ara et ses fils qui doivent être dans un mauvais pas, mais aussi pour toi, parce que tu n'as pas l'air bien.

— Pour moi, c'est inutile. Pour moi, la boucle est bouclée. Et pour eux aussi, ils savent se défendre tout seuls.

— Alors partons d'ici, avant que la pluie nous ait trempées, et que nous soyons attrapées par le couvre-feu.

— Oui, partons. »

Mais aucune semaine ne s'annule par décret, ni ne s'efface d'une vie comme un texte de la mémoire d'un ordinateur. Et encore moins celle-là, hallucinée et sacrée, que la nuit du dimanche a close mais qui s'est répercutée de si profonde manière sur le reste de mes jours. Nous n'y pouvons rien : il n'est nul pas qui ne laisse une trace.

Et en fait de traces, sur les autres et sur moi-même, il y eut celles que l'ange laissa ce dimanche-là, en quittant son quartier natal de Galilée pour parcourir à pied le territoire compris entre la zone de guérilla du plateau glacé de Cruz Verde et le village paisible des terres chaudes de l'Unión, s'enhardissant et entraînant à sa suite des multitudes, jusqu'à disparaître pour toujours au confluent du río Blanco et du río Negro dans un grand final déconcertant qui, selon les uns, fut une mort violente reçue des mains des militaires ou des paramilitaires, et selon les autres, une véritable ascension au ciel, corps et âme.

Maintenant que tout ce qui fut lui est classé, nommé, on appelle ces sept mois — car sa déambulation ne dura pas davantage — le temps de sa vie publique. Qui fut la plus glorieuse de son histoire, et qui pour moi coïncida avec la période la plus difficile de ma grossesse.

Mais pour avancer par ordre chronologique, je dois remonter au début de la fin, dont la mécanique se déclencha à Galilée la nuit où le couvre-feu avait paralysé les rues, tandis que le reste de la ville gardait, comme si de rien n'était, son rythme tranquille de jour férié.

J'avais déposé mon amie Ofelia chez elle et je rentrais chez moi, à l'heure où les familles prennent le café au lait et s'endorment devant la télévision. Les feux de la route 7 alternaient religieusement leur vert, leur orange et leur rouge, bien que la rare circulation ignorât chacune de ces couleurs, lorsque à la hauteur de la 59e Rue une subite et terrible révélation m'a arrachée aux limbes sentimentaux qui me berçaient. L'idée si commode qu'un moment plus tôt, sous l'averse qui commençait, j'aurais pris la décision sereine d'oublier mon amour était totalement fausse. La vérité, la vraie, lui tournait le dos à cent quatre-vingts degrés, parce que c'était lui qui m'avait déjà depuis longtemps abandonnée. Malgré les apparences, ce n'était pas nous qui manœuvrions l'ange, ni moi, ni Crucifix, ni la MAFA, ni quiconque. Il n'appartenait à aucun de nous, pas même à Ara, et ce n'était pas lui qui avait besoin de nous, mais nous qui nous accrochions à lui, chacun à notre manière. Bien qu'il m'en coûtât, je ne devais pas m'y tromper : son destin n'était pas et n'avait jamais été entre mes mains. Lui seul avait une vision claire de ses chemins sur terre, et son acharnement à les parcourir ne l'emmenait pas vers moi, ni ne se limitait à ma volonté.

J'ai fait un pas supplémentaire et j'en suis arrivée à douter de ce que j'avais pris pour acquis, qu'un bref moment il m'ait aimée, ou ressenti quelque attachement pour moi, ou qu'il ait seulement été conscient de mon existence, ou que mon souvenir gravitât même dans la légèreté de sa conscience.

Ce brusque changement de perception me fit passer du rôle de déserteuse à celui d'abandonnée, de bourreau à victime, et le dépit se mit à me tarauder, caustique et tyrannique.

J'ai commencé à me tourmenter en imaginant comment je pouvais le reprendre, comment empêcher sa fuite, je ne sais de quel droit, si un moment plus tôt j'en avais été la première complice, en consentant avec soulagement à ce que tout disparaisse comme dans un tour de prestidigitation.

Mais les choses n'étaient pas ainsi, elles ne le sont jamais, c'est pourquoi je dis que dans la vie, que cela nous plaise ou non, c'est la loi des conséquences qui gouverne. Quelques instants plus tard, en arrivant chez moi, j'ai trouvé assis à la porte de l'immeuble, les yeux gonflés du sommeil d'une longue attente, ni plus ni moins que le grand Orlando. Et avec lui réapparaissaient les maillons perdus de mon histoire d'amour, et la réalité, momentanément interrompue, reprenait son cours.

À la mi-journée, doña Ara avait décidé de m'envoyer Orlando pour qu'il demeure chez moi pendant qu'elle et l'ange se voyaient contraints d'errer comme des proscrits dans la montagne, et il avait attendu mon arrivée, assis sur une marche de granit, avec la patience et l'humilité de stylite que les pauvres pratiquent depuis l'enfance.

Et de plus, il n'arrivait pas seul mais avec un sac très lourd — ses vêtements, ai-je pensé tout d'abord — qui contenait en réalité les cahiers de sa mère. Les cinquante-trois cahiers Norma écrits sous la dictée de l'ange, complets, intacts, sauvés du désastre et miraculeusement remis entre mes mains, alors que je croyais leur perte irrémédiable.

Le père Benito ne les avait pas brûlés, l'officier aux moustaches ne les avait pas confisqués : c'était Ara elle-même qui me les envoyait, considérant qu'ils seraient en sécurité chez moi. J'ai embrassé ces cahiers comme s'ils étaient des reliques, le dernier fragment retrouvé de la vraie croix du Christ, car si j'avais perdu mon ange, je possédais au moins, pour la première fois, sa voix. Maintenant que j'y pense, je me rends compte que pour la première fois, mais pas la dernière, je me suis réfugiée dans la littérature en laissant de côté la vie, atteinte peut-être par les premiers symptômes d'une lassitude qui marquerait la fin de ma jeunesse.

Dans la glacière il ne restait plus que quelques saucisses, plus ou moins fraîches, qu'Orlando a dévorées sous forme de hot-dogs tout en me racontant, dans son plus beau style mitraillette, les événements de la journée. Il en décrivait deux ou trois en même temps, en accompagnant ses phrases d'onomatopées, ses yeux à présent grands ouverts et lançant des éclairs, et je devais le faire répéter pour trouver un peu de cohérence à tant de frénésie. Il m'a d'abord raconté l'arrivée de l'ange au quartier, mais je la connaissais grâce à Marujita.

« Cette partie-là, Marujita de Peláez m'en a déjà parlé.

— Alors, par où est-ce que je dois commencer ?

— Je sais comment l'ange est apparu, mais pas comment il a disparu.

— Donc je vous raconte l'histoire du terrain de foot ?

— C'est ça.

— Bon, alors, quand les supporters de l'ange se rassemblaient sur le terrain, tout d'un coup, boum, voilà que leur tombe dessus la bande du père Benito, avec en tête ceux de la MAFA qui étaient les plus féroces et les plus décidés à ne pas les laisser entrer.

— C'était prévisible...

— Et ma maman désespérée, mon fils, la MAFA va me le tuer, ne lui faites pas de mal, il est innocent, mais ceux de la MAFA, rien à fiche, toujours plus remontés.

— Ils lui ont fait du mal, dis-moi, ils ont fait du mal à

l'ange ? demandais-je, mais Orlando ne supportait pas les interruptions.

— On craignait déjà le pire quand, ta ta tan, est apparue Sweet Baby Killer, elle s'est frayé un chemin dans la bagarre, elle a fichu une raclée aux types de la MAFA, elle a chargé l'ange sur son dos et l'a sorti de là en distribuant des coups de pied et des coups de poing, wham ! blam ! Prends celle-là ! et encore celle-là ! Elle cognait sur tout ce qui voulait lui bloquer le passage, et c'est comme ça qu'elle l'a ramené à la maison sain et sauf, on peut dire sans une égratignure.

— Dans ce cas, pourquoi n'y êtes-vous pas restés ? Pourquoi êtes-vous partis dans la montagne ? » J'avais besoin qu'il me donne des motifs de poids pour balayer ma déception et reprendre espoir. « Pourquoi ont-ils fui ?

— Parce que avant qu'on s'en rende compte la flicaille a envahi le quartier, mettons cent policiers, ou peut-être mille, ils ont dispersé les émeutiers à coups de matraque, tchac, tchac, j'en ai vu un qui avait pris un coup sur la tête, arrrgghh ! et ceux de la MAFA, qui en plus sont de vraies poules mouillées, ont couru se réfugier dans l'église, pendant que nous, ceux du côté de l'ange, on continuait à se bagarrer, et puis on s'est tirés là-haut et on s'est retranchés dans les grottes de Béthel qui sont, disons, une forteresse souterraine.

— Qui s'est retranché dans les grottes ?

— Ben, nous tous, ceux de la ville basse.

— Et vous vous êtes battus avec la police ?

— Évidemment, à coups de pierres, si vous aviez vu cette pluie de pierres sensationnelle, dommage qu'on vous ait perdue, Monita, on a même balancé des pneus enflammés.

— Et l'ange ? Pendant ce temps, qu'est-ce que faisait l'ange ?

— Rien, il ne s'en est pas mêlé. Mais ensuite, la panique a gagné parce que quelqu'un a commencé à crier. D'abord un seul, puis tout le monde.

— Qu'est-ce que vous criiez ?

— On criait : tirez-vous ! les flics apportent les gaz ! Ils vont nous asphyxier dans les grottes !

— Et qu'est-ce que vous avez fait ?

— On s'est échappés par des issues de la grotte, par-derrière. On s'est dispersés dans le maquis, et là, la flicaille n'y a vu que du feu, parce que dans le maquis, personne ne peut vous retrouver.

— Et l'ange ? Que faisaient doña Ara et l'ange ?

— Je vous l'ai dit : rien.

— Mais où étaient-ils ?

— Dans le maquis, ils doivent toujours y être, avec les gens de la ville basse.

— Il y a quelque chose que je ne comprends pas. Lorsque la bagarre s'est terminée, pourquoi n'êtes-vous pas rentrés chez vous ?

— Vous n'y pensez pas ? Vous ne savez pas que les cognes sont rancuniers et qu'ils ne pardonnent pas ? Et puis surtout, à cause d'un message que *La Estrella* nous a envoyé. »

Le jour suivant, après avoir assisté à une conférence de rédaction à laquelle je n'ai pas compris un mot, je me suis portée volontaire pour interviewer un narcotrafiquant repenti qui finançait une clinique pour toxicomanes ; ce qui me permettrait ensuite de m'envoler pour Galilée sur les ailes de la jeep de Harry, pour la dernière fois, car il rentrait le soir même.

Là-haut j'ai découvert que la réalité reprenait peu à peu sa place. J'ai personnellement vérifié avec le propriétaire de *L'Étoile,* qui était à nouveau derrière son comptoir, le contenu du message envoyé à Ara. Je le soupçonnais d'être moins dramatique que ce qu'en racontait l'hyperbolique Orlando à propos d'associations de délinquants et d'imparable conspiration ourdie par le père Benito et la MAFA pour assassiner l'ange.

Ce qui était arrivé était qu'immédiatement après la bataille de pierres, six garçons de la MAFA avaient été vus à *L'Étoile* en train de boire de la bière et de compter de l'argent, se vantant d'avoir viré du quartier l'ange et ses fanatiques et jurant qu'ils ne les laisseraient pas revenir. « Il est temps que ce petit ange retourne au ciel », m'a-t-on dit qu'ils avaient dit.

Les témoins de cette scène l'avaient interprétée comme une menace de mort et, par rapprochement, ils en avaient déduit que le père Benito avait engagé la MAFA pour la mettre à exécution et garantir également l'exil définitif du reste de l'opposition. Version qui n'était pas loin de celle d'Orlando.

Je crois que c'est plus ou moins à ce moment-là que cette histoire cesse d'être une simple histoire pour se convertir en légende. Ou que pour moi, cette brève et vertigineuse succession d'événements commence à faire place à une longue et monotone nostalgie.

Je me souviens très bien que ce lundi à *L'Étoile,* le jour qui a suivi la fuite de l'ange, j'avais pris l'inébranlable décision de partir à sa suite, de le trouver où qu'il soit et de le suivre jusqu'au bout du monde. Je renoncerais à tout, je me jetterais tête la première dans le vide pour ne pas le perdre. Je me souviens que cette décision m'avait surtout été inspirée par le dépit, levier plus puissant que l'amour, mais aussi plus trompeur. Ce que je ne puis plus détailler avec précision, c'est le tracé labyrinthique d'ajournements et de prétextes — tous aussi ténus et futiles que : démarches pour obtenir un congé, maux d'estomac, route barrée par la guérilla ou manque d'argent pour payer le loyer — dans les méandres desquels a commencé à se dissoudre ma décision.

Ce qui est sûr, c'est que lorsque est arrivé l'obstacle définitif, j'avais déjà, dans la pratique, laissé échapper l'amour de ma vie pour me raccrocher aux plus infimes certitudes de la vie quotidienne. Je m'en rends parfaitement compte aujourd'hui mais je ne le savais pas alors, car j'avais encore mon sac prêt pour le grand voyage, le jour où un petit papier, en devenant violet au contact de l'urine, m'apporta la laconique notification de ma grossesse.

Au début, ce fut affreux et je vomissais tant que, plus qu'enceinte, je paraissais possédée. Je passais mes journées à pleurer, mon rédacteur en chef se doutait de quelque chose, mes seins gonflaient, Ophélie me reprochait d'avoir fait l'amour sans prendre de précautions.

«Tu mens, je n'ai jamais dit ça, a-t-elle protesté un jour. Ce n'est pas ta faute. Après tout, qui aurait pensé à demander à un ange de mettre une capote?»

Entre larmes et vomissements me parvenaient de-ci de-là quelques nouvelles du père du bébé. Elles me venaient des habitants de la ville basse qui l'avaient accompagné dans ses errances, transformés en armée affamée, désarmée et débraillée, passant la nuit dans des refuges et des cambuses, se nourrissant comme les oiseaux du Seigneur et qui, petit à petit, par groupes, regagnaient leurs maisons, les plus téméraires d'abord, puis ceux qui dans le passé avaient été moins compromis avec l'ange et avaient en conséquence une dette moins lourde vis-à-vis de la MAFA, enfin les déçus de la vie nomade qui avaient décidé d'affronter les dangers du quartier pour reprendre possession de leurs foyers.

Au début on racontait des choses simples : que l'ange avait mangé des goyaves vertes à la sortie de Punta del

Zorro, ou du cabri dans une gargote de la place de Choachí. Il y avait des anecdotes plausibles, comme celle qui le montrait domptant un taureau de combat dans un corral de la ferme de Miguelito Salas.

Mais à mesure que croissait sa popularité, on commença à parler de lui en termes de moins en moins personnels et de plus en plus mythologiques, comme s'il s'agissait de Superman ou de Pablo Escobar, et à relater la chronique de ses prodiges : lui seul pouvait résister, nu, aux déserts glacés du *páramo** , son corps ne connaissait ni la faim ni la fatigue, sa douceur inondait les vallées, sa lumière éclairait les chemins, son pas semait une traînée d'étoiles.

Bien que j'aie eu plus d'une fois des renseignements exacts sur l'endroit où il se trouvait, et même si je brûlais toujours du désir de le retrouver, cette éventualité s'est faite chaque jour plus lointaine car l'enfant, malgré ma violente réaction psychosomatique, s'installait en moi avec un aplomb si surprenant et une confiance si inconditionnelle qu'il ne m'a pas un seul instant permis d'envisager une interruption de grossesse. Et c'est ainsi que, sans m'en rendre compte, je me suis mise à tricoter des brassières, à avaler des cachets de fer et de calcium et à peindre les murs en bleu ciel, tout une dynamique aimable et casanière qui semblait peu compatible avec d'épuisantes pérégrinations nocturnes à flanc de montagne, sous une pluie battante.

Ensuite ce furent des étrangers, qui juraient avoir été témoins de la gloire de l'ange, qui se mirent à rendre compte de ses exploits. Pour la première fois j'entendis parler de ses miracles : il aurait sauvé de l'inondation la population de Santa María de Arenales, il aurait fait

* Haut plateau de la cordillère andine. *(N.d.T.)*

189

pleuvoir la manne du ciel sur le village famélique de Remolinos. Certains des actes qu'on lui attribuait étaient ambigus, ou difficiles à interpréter, comme celui où, selon les bonnes langues, il aurait puni une femme infidèle en lui appliquant sur le front une marque incandescente, ou bien ce dimanche ensoleillé où il aurait rendu aveugles des paysans qui le regardaient avec extase. Tout cela ne faisait cependant qu'augmenter son prestige, parce qu'aux yeux sans malice des gens crédules il est aussi miraculeux de rendre la vue à un aveugle que de l'ôter à un voyant.

Bien que cela semble surprenant, de toutes les inconditionnelles du comité, celle qui l'abandonna la première fut celle qui l'aimait le plus ardemment : doña Ara.

« Je suis revenue pour Orlando, m'a-t-elle confessé à son retour d'une voix brisée. Pour m'occuper de lui comme Dieu l'ordonne. Pour suivre un fils que je n'avais jamais eu, j'étais en train d'abandonner celui qui a toujours été près de moi. »

Baby Killer l'avait suivie, après avoir servi l'ange chaque minute dans la plus humble dévotion et la plus fidèle loyauté, jusqu'à ce qu'une blessure infectée à une jambe ne dégénère en gangrène et finalement en purulence fétide, l'empêchant de faire un pas de plus derrière lui.

On disait de sœur Marie-Crucifix qu'elle avait profité du départ des autres et de l'absence de contrôle pour s'approprier l'ange et utiliser à ses propres fins son image publique. Qu'elle s'était révélée être un tyran intransigeant et dogmatique, aussi dictatoriale et manipulatrice de la vérité non officielle que le père Benito l'avait été pour la vérité officielle. On disait qu'au nom de l'ange elle haranguait ses partisans avec des discours contradictoires, à la fois grandioses et grotesques, honnêtement rebelles et pathétiquement rhétoriques.

Mais en dépit de la mauvaise réputation qui l'entoura bien vite et qui reste encore attachée à son nom, lorsque je regarde en arrière, je dois reconnaître que sœur Marie-Crucifix a bien rempli sa mission. Tout ange doit avoir un prophète sur la terre qui l'annonce aux humains et en soit l'interprète, et ainsi que Yahvé avait eu Jésus-Christ, et Allah Mohammed, l'ange de Galilée l'avait eue, elle. Il est évident que mon ange n'avait jamais désiré être quelqu'un, et sans Marie-Crucifix, il est certain qu'il aurait fini par n'être personne.

Mais pour Crucifix aussi arriva l'heure de disparaître de cette histoire, ce qui advint lorsqu'elle fut dépouillée de son autorité par le Treizième Front des Farc, la guérilla insurrectionnelle qui dominait dans la région, et qui décida de donner à l'ange le titre honorifique de commandant en chef et de l'utiliser, le poussant en avant pour attendrir l'âme des paysans et ouvrir de nouveaux espaces à leur ardeur prosélyte.

Mais la guérilla non plus ne parvint pas à l'endiguer longtemps, et il s'arrangea pour les semer et continuer seul, toujours plus loin, sans regarder en arrière ni se reposer, mû par sa force surnaturelle et guidé par l'indéchiffrable étoile de son destin.

Ma grossesse était déjà bien avancée lorsque parvint aux oreilles de doña Ara la nouvelle que son fils campait avec ses troupes dans une commune située en bordure des prairies de la Meta, qui s'appelait, je ne sais pourquoi, « la Fontaine aux lions ». Il se trouvait, par hasard, qu'un de mes oncles avait une ferme dans le coin et qu'il nous la prêtait pour passer la nuit, c'est ainsi que nous nous sommes décidées à aller à la rencontre de l'ange.

Nous sommes parvenues à le voir, plus mûr et plus

robuste qu'avant, au milieu d'un paysage rocailleux et dramatique de végétation vert émeraude, de nuages pourpres et d'ombres violettes, mais seulement de manière anonyme et de loin, parce que entre lui et nous s'interposait une masse compacte et ululante de fanatiques qui nous empêchait de l'approcher. De toute façon, même si nous l'avions pu, nous ne l'aurions pas fait, pour ne pas interrompre l'intensité de la transe mystique qui le soutenait, dressé et tendu sur un rocher pointu, son corps magnifique dangereusement penché vers l'abîme, sourd aux adulations, incompris de ses adorateurs, méconnaissant sa propre divinité, totalement étranger au pouvoir et à la gloire, sa chevelure brune livrée au vent et le regard perdu dans les fulgurances du soleil couchant.

Je ne puis nier qu'en le contemplant l'incendie n'ait violemment repris en moi. Mais je n'ai pas fait un pas vers lui, pas un seul. *Noli me tangere*, me criaient provocants et impérieux sa bouche muette, ses yeux aveugles, tout son être. Et j'ai entendu son message, Ne me touche pas, et le cœur brisé, j'ai obéi.

Ce fut la dernière fois que je le vis. Peu après survinrent les événements — jamais éclaircis — qui furent à l'origine de sa disparition, au confluent du río Blanco et du río Negro, à l'endroit même où l'on peut voir aujourd'hui un grossier sanctuaire de pierre érigé en son honneur.

Tu es éveillée dans l'obscurité d'une paisible nuit de septembre. Tu te tais et tu tends l'oreille. Peux-tu entendre? Un bruit d'aile, à peine un froissement de plumes... La palpitation qui agite doucement l'air... C'est ma voix.

Sens-tu ce feu intérieur, si ténu qu'il tiédit à peine ton ventre? C'est ma présence diluée dans l'éther, qui traverse l'oubli et parvient jusqu'à toi. Du fond des ombres de l'exil, c'est l'ange proscrit qui te parle; je viens te susurrer la geste de mes antiques batailles.

Je suis ce qui reste de l'archange Uriel, ancienne flamme de Dieu, vorace incendie qui aux heures glorieuses de son passé réchauffait et illuminait les planètes et les cœurs. Celui qui maintenait l'équilibre des univers créés et à venir. C'était moi, et nul autre, qui errais par les plaines bleues en méditant l'ordre du monde, aujourd'hui brisé et livré aux précipitations d'un fol hasard. De moi dépendaient les êtres nés sous le signe de la Balance; mes pas résonnaient sur tout l'hémisphère Sud aujourd'hui privé de ma tutelle et exposé aux rigueurs de la maladie, de la faim et de la guerre. Mon escorte était composée de dix sages au faîte de leur science qui se taisaient, sachant ce qu'on oublie tant: que le non-savoir est l'unique science.

Tu me vois réduit à une essence presque éteinte : je suis les braises qui dorment sous la cendre. Je survis, anonyme, clandestin, dans la ferveur des foules ignorantes, si sages qu'elles louent les anges sans même savoir leurs noms.

Tu te demandes ce qu'est devenue ma grandeur passée. Qui a éteint la lumière qui jaillissait intensément de moi, qui a noirci mon visage d'astre pâle, qui a opacifié ma translucide peau d'albâtre, qui a coupé les boucles qui tombaient sur mes épaules. Tu veux savoir quand mes guerres ont commencé.

Cela commença lorsque les hommes ressentirent que Dieu était lointain, reclus, inaccessible comme un monarque absolu dans les hauteurs du ciel, et qu'ils cherchèrent le secours des anges et les rencontrèrent à chaque coin du monde, présents dans la nature de chaque chose, fussent-elles les plus infimes comme les rats ou les aiguilles. Chaque homme et chaque femme put compter sur un ami ailé, et depuis son premier instant de vie, chaque nouveau-né sentit sur son berceau le souffle de son gardien. Chaque pays également, même ceux qui ne figurent pas sur les cartes, et chaque ville, fleuve, rivière, montagne et lac, tous eurent leur ange tutélaire. Pas un métier humain qui n'eût son propre bienfaiteur. Un pour les maçons et l'autre pour les bergers, un pour le souverain et l'autre semblablement pour son vassal, pour le noble et le serf de la glèbe, pour le musicien et le saltimbanque, pour le chevalier et aussi pour son écuyer, pour le chasseur de gibier, la vigneronne, la marquise, la gardienne de chèvres, la parturiente, la boulangère.

C'était le règne des séraphins sur terre et moi, Uriel, j'occupais mon poste près de Michel, Gabriel et Raphaël dans le sanhédrin des archanges majeurs, à hiérarchie égale, et équidistants du trône : au nord, Raphaël, pèlerin, patron des voyageurs et des étrangers, portant autour du cou le nom de Dieu écrit sur des tablettes, curateur de maladies, réparateur des blessures. À l'est, Michel, guerrier imberbe et fougueux, dont le cri de guerre est « Personne mieux que Dieu ! » et dont l'ennemi, le dragon, gît décapité d'un seul coup de son épée. À l'ouest, Gabriel, le messager, revêtu d'habits magnifiques, mentionné avec autant d'admiration par la Bible que par le Coran, universel porteur de la bonne nouvelle. Et au sud, moi, Uriel, penseur et pyromane. Le grand Uriel, flamme de Dieu, à qui Hénoch, patriarche antédiluvien injustement tenu pour apocryphe, a attribué la place la plus haute du firmament, juste en dessous du Père.

La multitude angélique qui avec moi envahit la terre fut accueillie par les humbles et les pauvres d'esprit, ce qui pour d'autres fut un motif d'alarme et de mécontentement, car certains virent avec effroi notre doigt posé sur chaque être et chaque chose. Panthéisme païen ! crièrent les hauts hiérarques de l'Église, dévorés de jalousie en se sentant évincés. Animisme hérétique ! s'exclamèrent inquisiteurs et méfiants les saints docteurs, en croyant menacé le rôle exclusif de Jésus, fils de Dieu.

Sur moi, Uriel, alors appelé le Grand, s'abattit la vengeance du pape Zacharie qui, emporté par la rancune, prohiba mon nom et condamna mes disciples au bûcher.

Mais l'anathème et le châtiment ne firent qu'attiser les flammes, et la foi en moi se répandit jusqu'aux confins du Saint Empire romain, et même au-delà, comme un incendie dans les bois secs de l'été. De la même façon se multiplia le nombre de mes ennemis, parmi lesquels de très puissants, comme Boniface, saint et martyr, et les souverains Charlemagne et Pépin le Bref.

Les malheurs s'abattirent sur moi. Le concile de Laodicée, le synode de Soissons, le concile germanique, résolus à me vaincre, ne reconnurent comme authentiques noms d'anges que ceux mentionnés dans les Écritures, lesquels sont au nombre de trois, à savoir ceux de Gabriel, Raphaël et Michel, et déclarèrent en conséquence que tous les autres n'étaient qu'appellations de démons parmi lesquelles le mien, Uriel, qu'ils chassèrent du conciliabule des quatre plus grands et mirent à la tête de la liste des maudits, suivi par Raguël, Jujubuel, Jonia, Adimus, Tubuas, Sabaoth, Simiel, Jejodiel, Sealtiel et Baraquiel.

Ceux qui invoquaient ces anges, ou d'autres aux noms inconnus, furent déclarés superstitieux et furent excommuniés et condamnés à mort.

Michel, Raphaël, Gabriel : les seuls qui maintinrent leurs titres et leurs prérogatives, tandis que moi, quatrième des Grands, je devenais le premier de la horde des proscrits. Le pape Clément III ordonna d'effacer mon image de Sainte-Marie-des-Anges, à Rome, et son exemple fut suivi par des évêques et des abbés, avec pour résultat que sur les mosaïques et les fresques, je fus réduit à n'être plus qu'un anonyme pâté de stuc, à côté de la fameuse et éternelle grandeur de Michel, Raphaël et Gabriel.

Le théologien Giuseppe de Turre voulut justifier de telles pratiques en montrant le danger qu'il y aurait à ce que n'importe quel croyant pût donner aux anges des vocables inventés, arbitrairement créés par sa seule volonté.

Ce que craignaient en vérité Giuseppe de Turre et les autres théologiens, c'était de perdre leur autorité et leur pouvoir sur les croyances des gens. Ils craignaient aussi que nous autres, les anges du Seigneur, qui sommes aussi parfaits que le Seigneur lui-même, et aussi doués de beauté, pouvoirs et attributs, nous parvenions à l'égaler, voire à le dépasser.

Emportés par leur haine et leurs craintes, les hiérarques firent la chasse à ceux qu'ils nommaient idolâtres, jusqu'à teindre de rouge les bois et les terres du sud de la France. Dans la vallée du Lycus, ils brûlèrent les croix et détruisirent les sanctuaires érigés en mon honneur. Ils jetèrent sur le bûcher cent de mes fidèles qui moururent avec sur les lèvres ce cri : *Non moritur Uriel !*

En dépit de tout, je suis là. Ni le sang ni le feu ne sont parvenus à m'effacer de la terre. Je survis comme la braise sous la cendre, dans les plus infimes reliques qui ont déjoué la censure et qui aujourd'hui témoignent de mon impact initial sur le monde.

Je suis présent dans l'hymne de saint Ambroise qui priait à voix haute *Non moritur Gabriel, non moritur Raphael, non moritur Uriel.*

Sur une lame de plomb qui chasse les tumeurs malignes, située aux environs d'Arkesiné.

Chez les coptes qui célèbrent encore ma fête tous les 15 juillet.

Dans le Canon Universalis des Éthiopiens.

Sur les calendriers orientaux.

Dans les oraisons et exorcismes médiévaux diffusés en Syrie, Pisidie et Phrygie, dont on conserve quelques fragments épars.

Tu peux me découvrir sous les traits d'un guerrier oriental, dans la pénombre dorée de la chapelle palatine de Palerme.

Je suis présent à Sopó, blanc de peau, l'allure d'un courtisan et le regard ambigu, sur une huile coloniale où le peintre anonyme a voulu me revêtir de velours et placer dans ma main une épée de feu.

Je vis à peine, déjà effacé, presque en allé, sur ces pages

manuscrites où toi, femme de Galilée, tu as voulu protéger le jet agonisant de mon sang.

C'est pour cela qu'en toi je demeure et qu'à toi j'ai recours en cette silencieuse quiétude de septembre. Il reste peu de moi, mais je suis là. Je serai l'ombre propice qui abritera tes jours. L'eau fraîche qui soulagera tes heures d'effroi. Chien fidèle à tes côtés, tout au long du chemin. Flèche qui t'indiquera la direction, lorsque sera venu le moment de t'en aller.

Femme, mets-toi à genoux. Étends les bras comme les branches d'un arbre. Laisse les soins de ta maison et ouvre la fenêtre pour que ce reste d'ange qui fuit épouvanté entre sans crainte et trouve un refuge où il puisse briller, discret et secret, comme un feu follet.

Répète avec moi la prière d'Ambroise, et sauve-moi du néant : *Non moritur Uriel! Non moritur Uriel!*

VII

Manuel, fils de femme

Je monte chaque semaine à Galilée tenir compagnie à doña Ara et lui amener la petite, ma fille, qui a déjà six ans.

Orlando, son oncle Orlando, travaille de jour comme graphiste à *Somos*, et prépare le soir son bac technique. Il est toujours aussi épatant, et son aide est si précieuse que je ne sais pas ce que je deviendrais sans lui.

Sœur Marie-Crucifix s'est installée dans un village caféier appelé Belén de Umbría. On dit qu'elle vit en ermite et qu'elle passe ses jours et ses nuits, sauvage et solitaire, dans un antre sordide. Nous avons appris que Sweet Baby Killer a perdu sa jambe et qu'elle marche avec une prothèse en bois, et que, malgré cela, elle réussit à gagner sa vie comme docker sur le port de Bonaventure. Marujita de Peláez vit toujours à Galilée, mais elle n'a plus de cape bleue, ni d'aucune autre couleur. Le père Benito est mort il y a deux ans, non d'un cancer du poumon dû à la Lucky Strike comme on pouvait s'y attendre, mais d'un infarctus provoqué par tant de grosses colères. La MAFA s'est dissoute, presque tous ses membres sont partis à Medellín, où ils sont allés grossir les rangs des narcotrafiquants.

Depuis le jour où j'ai emmené Ofelia chez les Muñiz, elle les a instituées ses pythies favorites. Les deux vieilles

199

l'adorent et lui préparent des onguents qui lui conserveront pour toujours sa peau de poupée ; en guise de rétribution, Ofelia ne reste jamais longtemps sans leur rendre visite, et ne prend aucune décision amoureuse sans leur avis.

Doña Ara fabrique au crochet des dessus-de-lit et des tapis de table, ce qui lui permet de tenir le coup. Elle vit une vie sereine en s'occupant d'Orlando et en consacrant à sa petite-fille — ma fille — tout l'amour qu'elle n'a pu donner à son fils aîné enfant. Elle n'a eu aucune autre nouvelle de lui après sa disparition ; elle n'a même plus reçu ses messages, et son travail d'écrivain s'est en conséquence arrêté là.

Elle m'a défendu de publier les cinquante-trois cahiers avant sa mort, à l'exception des six fragments qu'après l'avoir beaucoup suppliée je peux aujourd'hui inclure dans ces notes. Elle a refusé énergiquement de les donner à l'Église, bien que l'archevêque de Santafé de Bogotá soit venu en personne les lui réclamer chez elle. Pas le même chez-elle qu'avant mais un autre, car doña Ara a emménagé sept rues plus bas.

Son ancienne maison est devenue un sanctuaire si fréquenté que même les candidats à la présidence en font une étape de leur campagne électorale.

Tout au long de la vieille rue de la ville basse monte maintenant un vaste escalier de ciment, bordé de part et d'autre par des kiosques qui vendent des médailles, des images pieuses, des prières et toutes sortes de souvenirs de l'ange de Galilée, aujourd'hui reconnu par les sacristains, les évêques et autres sommités ecclésiastiques. Ce qui se vend le mieux, ce sont des reliquaires qui contiennent des morceaux de sa véritable tunique et du cuir de ses sandales. Fausses reliques et fausse mémoire de qui n'a possédé dans la vie ni chemise ni chaussures.

L'escalier en ciment débouche sur le béton de la nouvelle basilique, construite sur ce qui fut Béthel. En dessous, dans ce qui reste des grottes, sous les fondations de la basilique, habite une population troglodyte de mendiants, de drogués et de gamins des rues, qui vivent des aumônes que leur jettent les pèlerins. Il y a d'autres nouveautés, un central de bus pour transporter les visiteurs, et deux pensions pour loger ceux qui viennent de loin.

La basilique s'appelle «le Saint-Ange» et, à côté de l'autel, on peut voir la statue en plâtre d'un jeune garçon blanc et blond, avec des ailes gigantesques qui le font descendre du ciel, une courte tunique de romain, une cape cramoisie, une couronne de faux or et un pied glissé dans une sandale grecque qui aplatit hardiment une vilaine bête. Derrière la statue, un déroulant électronique — comme celui qui annonce les prix des hamburgers chez McDonald's — libère, lettre à lettre, en petits points lumineux de couleur rouge, le chapelet des dix commandements, des sept sacrements et des œuvres de bienfaisance.

Tout ce tintouin impressionnant n'a rien à voir avec nous, et cet ange qu'on vénère tant n'est pas le nôtre. Doña Ara, Crucifix, la petite et moi ne tombons pas dans le panneau de cette version revue et corrigée. Et pas non plus Sweet Baby Killer ni Marujita de Peláez. Mais le nouveau curé n'aime que les légendes célestes et dorées et ne veut rien savoir ni rien entendre de ce qui lie l'ange de Galilée à cette terre. Et encore moins venant de femmes. Pour croire en l'ange, l'Église a dû lui ôter tout affect, toute chair et tout os, et le transformer en un conte à l'eau de rose issu de sa propre imagination.

Pour le reste, le quartier a peu changé. À part *L'Étoile*, qui a de nouveaux propriétaires et qui ne s'appelle plus épicerie mais supermarché. Il n'y a toujours pas de chaussée pavée ni d'égouts et de temps en temps, pendant l'hiver, l'eau entraîne quelques maisons.

Je travaille toujours pour *Somos*. Je continue d'écrire les mêmes inepties, mais aujourd'hui on me les paie mieux. Je vis avec ma fille et je me consacre entièrement à elle. Je n'ai pas voulu me marier et, bien que depuis le temps plusieurs hommes soient passés dans ma vie, j'ai toujours la nostalgie de l'ange, généralement en sourdine, mais parfois — comme en ce moment — si forte qu'elle me rend folle.

Je n'en finis pas de rendre grâce aux gens de Galilée qui m'ont appris à voir ce que mes yeux seuls n'auraient su voir. Il n'est pas si facile de reconnaître un ange et, sans leur aide, il me serait arrivé la même chose qu'à beaucoup qui en ont été proches et ne s'en sont pas rendu compte.

Ce qui plaît vraiment à ma fille, c'est d'être à Galilée. Avec Orlando et une petite marmite, elle monte sur la colline faire la dînette au feu de bois ; elle joue et se bagarre dans la rue avec les autres enfants ; quelquefois elle disparaît pendant des heures et je la retrouve endormie devant la télévision d'un voisin. Je tiens à dire que, par bonheur, les habitants du quartier la voient comme un enfant de plus. Mais il n'en a pas toujours été ainsi.

Juste avant mon accouchement, au moins cinquante ou soixante d'entre eux s'étaient réunis au pavillon de la maternité de la clinique du Country, avec des cierges et des fleurs. Les autres attendaient les nouvelles au quartier. Ils disaient que tous les signes propices s'étaient présentés : le nombre exact d'étoiles dans le ciel, le chant de la merlette à l'heure pile, la courbe parfaite dans le marc de café.

Ce fut une véritable commotion, un délire auquel ni les médecins ni les infirmières ne comprenaient rien. Mais moi je comprenais et je mourais d'angoisse. Ce que les gens attendaient, c'était l'accomplissement de la prophétie, le nouveau maillon de la chaîne, la naissance de l'ange fils de l'ange, comme cela s'était produit depuis des siècles et devrait continuer à se produire.

Ma décision était déjà prise : j'emporterais l'enfant au loin, dans une autre ville où il puisse grandir sans avoir à supporter le poids de ce stigmate. Bien entendu, lorsque j'ai appris que c'était une petite fille, mon soulagement a été immense. La nouvelle est tombée en revanche comme un seau d'eau glacée sur la population de Galilée : cela signifiait que la réincarnation n'avait pas eu lieu, parce qu'un ange femme leur paraissait inconcevable.

La déception fut grande et rapidement le quartier nous oublia, l'enfant et moi. Bon, ce n'est pas de l'oubli, puisqu'ils nous aiment bien et nous acceptent. Disons plutôt qu'ils ont oublié les épisodes passés et l'origine de la petite. Elle-même ne sait pas grand-chose de tout ça. Je lui ai seulement dit que son père avait été quelqu'un d'exceptionnel, et qu'il s'appelait Manuel.

Comment est-ce que je sais qu'il s'appelait Manuel ? Ce sont les Muñiz qui me l'ont révélé. Elles m'ont dit que le grand-père de l'ange, en plus d'être un misérable, était fanatiquement religieux, et qu'avant de vendre l'enfant aux étrangers il avait apaisé sa conscience en le faisant baptiser. Il lui avait donné le nom de Manuel. Les Muñiz me l'ont révélé — en tout cas Chofa, parce que Rufa n'ouvre toujours pas la bouche —, et j'ai décidé de les croire. Je les ai crues, premièrement parce que Manuel signifie Celui Qui Est Avec Nous. Et deuxièmement parce qu'en fin de compte je ne me sentais pas le courage de dire à ma fille que, par les hasards de la vie, son père n'avait pas de nom.

C'est une chance que ma fille puisse grandir dans des

conditions aussi saines et normales. Elle est pour moi une merveilleuse créature, ce qui se comprend puisque je suis sa mère. Doña Ara, elle aussi, la voit avec des yeux de grand-mère chaque fois qu'elle murmure : «Cette petite est resplendissante !» Je n'ai jamais détecté chez elle aucun trait exceptionnel qui la différencie des autres. Elle adore par-dessus tout son oncle Orlando, elle collectionne les bandes dessinées, elle déteste les légumes, elle utilise une calculette pour ses devoirs d'arithmétique, elle habille ses poupées, c'est une obsédée du Nintendo. Bien qu'elle ait été baptisée Damaris, du prénom de ma mère, personne en réalité ne l'appelle ainsi parce que ce nom ne semble pas lui convenir, et chacun lui donne un surnom différent. Elle est très jolie, il faut l'avouer, mais pas plus que tant d'autres par ici.

Il n'y a qu'une chose qui m'inquiète chez elle. Une seule chose qui m'empêche de dormir et me donne à réfléchir : cette clairvoyance abyssale de ses yeux sombres qui comprennent tout sans avoir besoin de mots et qui, cependant, lorsqu'on croit qu'ils regardent, ne voient pas.

Rivages poche/Bibliothèque étrangère

Harold Acton
  Pivoines et poneys (n° 73)

Sholem Aleikhem
  Menahem-Mendl le rêveur (n° 84)

Kingsley Amis
  La Moustache du biographe (n° 289)

Jessica Anderson
  Tirra Lirra (n° 194)

Reinaldo Arenas
  Le Portier (n° 26)

James Baldwin
  La Chambre de Giovanni (n° 256)

Quentin Bell
  Le Dossier Brandon (n° 102)

Stefano Benni
  Baol (n° 179)

Ambrose Bierce
  Le Dictionnaire du Diable (n° 11)
  Contes noirs (n° 59)
  En plein cœur de la vie (n° 79)
  En plein cœur de la vie, vol. II (n° 100)
  De telles choses sont-elles possibles ? (n° 130)
  Fables fantastiques (n° 170)
  Le Moine et la fille du bourreau (n° 206)

Elizabeth Bowen
  Dernier Automne (n° 265)

Paul Bowles
  Le Scorpion (n° 3)
  L'Écho (n° 23)
  Un thé sur la montagne (n° 30)

Emily Brontë
  Les Hauts de Hurle-Vent (n° 95)

Alberto Vigevani
  Le Tablier rouge (n° 136)
  Un été au bord du lac (n° 195)
Evelyn Waugh
  Trois Nouvelles (n° 138)
Fay Weldon
  Copies conformes (n° 128)
Paul West
  Le Médecin de Lord Byron (n° 50)
Rebecca West
  Femmes d'affaires (n° 167)
Joy Williams
  Dérapages (n° 120)
Tim Winton
  Cet œil, le ciel (n° 225)
  La Femme égarée (n° 262)
Banana Yoshimoto
  N.P (n° 274)
Evguéni Zamiatine
  Seul (n° 16)
  Le Pêcheur d'hommes (n° 19)

Rivages poche/Petite Bibliothèque
Collection dirigée par Lidia Breda